"读原著·学原文·悟原理"丛书

DUYUANZHU XUEYUANWEN WUYUANLI

《神圣家族》
这样学

孙熙国 张梧 | 主编

梅沙白 | 著

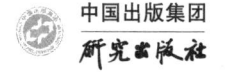

中国出版集团
研究出版社

图书在版编目(CIP)数据

《神圣家族》这样学/梅沙白著. -- 北京：研究出版社，2022.4
ISBN 978-7-5199-1183-6

Ⅰ.①神… Ⅱ.①梅… Ⅲ.①《神圣家族》- 马恩著作研究 Ⅳ.①A811.21

中国版本图书馆CIP数据核字(2022)第050157号

出 品 人：赵卜慧
出版统筹：张高里　丁　波
责任编辑：范存刚　朱唯唯

《神圣家族》这样学
SHENSHENG JIAZU ZHEYANGXUE

梅沙白　著

研究出版社 出版发行

（100006　北京市东城区灯市口大街100号华腾商务楼）
北京中科印刷有限公司印刷　新华书店经销
2022年4月第1版　2023年1月第3次印刷
开本：787毫米×1092毫米　1/32　印张：4
字数：54千字
ISBN 978-7-5199-1183-6　定价：29.80元
电话（010）64217619　64217612（发行部）

版权所有·侵权必究
凡购买本社图书，如有印制质量问题，我社负责调换。

"读原著·学原文·悟原理"丛书编委会

编委会主任：

孙熙国　孙蚌珠　孙代尧　张　梧

编委（以姓氏笔画为序）：

王　蔚　王继华　田　曦　任　远

孙代尧　孙蚌珠　孙熙国　朱　红

朱正平　吴　波　李　洁　何　娟

汪　越　张　梧　张　晶　张　懿

余志利　张艳萍　易佳乐　房静雅

金德楠　侯春兰　姚景谦　梅沙白

曹金龙　韩致宁

编委会主任

孙熙国，北京大学马克思主义学院教授、博导，北京大学习近平新时代中国特色社会主义思想研究院常务副院长，北京大学学位委员会马克思主义理论学科分会主席，国家"万人计划"教学名师，中央马克思主义理论研究和建设工程课题组首席专家，国务院学位委员会马克思主义理论学科评议组成员，教育部马克思主义理论类专业教学指导委员会副主任委员。兼任国际易学联合会会长，中国历史唯物主义学会副会长，北京市高教学会马克思主义原理研究会会长。

在《哲学研究》等刊物发表学术论文百余篇，著有《先秦哲学的意蕴》《马克思主义基本原理前沿问题研究》（第一作者）等，主编高校哲学专业统一使用重点教材《中国哲学史》，主编全国高中生统用教科书《思想政治·生活与哲学》《思想政治·哲学与文化》，获首届全国优秀教材一等奖。主持"马藏早期文献与马克思主义在中国的早期传播""马克思主义基本原理的学科对象与理论体系"等国家哲学社会科学重大项目和重点项目。

孙蚌珠,经济学博士,教授。现任北京大学马克思主义学院党委书记、习近平新时代中国特色社会主义研究院副院长。教育部高等学校思想政治理论课教学指导委员会委员总教指委主任委员、"形势与政策"和"当代世界经济和政治"分指导委员会主任委员。马克思主义研究和建设工程首席专家,国家义务教育教科书"道德与法治"编委会主任,国家统编高中思想政治教材《经济与社会》主编、国家中等职业学校思想政治教材编委会主任。中国政治经济学学会副会长、中国《资本论》研究会副会长。主要从事政治经济学、中国特色社会主义经济理论与实践研究,获得过北京市科学技术进步二等奖,是全国首届百名优秀"两课"教师、全国思想政治理论课影响力标兵人物、北京市高等学校教师名师、国家"万人计划"教学名师、享受国务院政府特殊津贴专家。

孙代尧,北京大学法学学士、硕士和博士。现任北京大学博雅特聘教授、社会科学学部学术委员和马克思主义学院学术委员会主任,《北京大学学报(哲学社会科学版)》主编。曾任马克思主义学院副院长、学位委员会主席、教育部高校思政课教学指导委员会委员。

先后入选国务院政府特殊津贴专家、中宣部全国文化名家暨"四个一批"人才、国家"万人计划"第一批哲学社会科学领军人才;担任中央马克思主义理论研究和建设工程专家、中国科学社会主义学会副会长等。

主要从事马克思主义理论、社会主义历史和理论等领域的教学和研究。担任教育部哲学社会科学研究重大课题攻关项目、国家社科基金重大项目首席专家。科研成果曾获北京市哲学社会科学优秀成果一等奖等多个奖项。

张梧,哲学博士。现为北京大学哲学系助理教授、研究员、博士生导师,中国人学学会秘书长、北京大学中国特色社会主义理论体系研究中心研究员、济宁干部政德学院"尼山学者"。主要研究方向是马克思主义哲学史、社会发展理论等。曾著有《马克思恩格斯〈德意志意识形态〉研究读本》《社会发展的全球审视》等学术专著,在《哲学研究》等核心期刊发表论文30余篇。

代序

马克思主义可以这样学

马克思主义应该怎样学？马克思主义经典著作应该怎样读？北京大学马克思主义学院以博士生的"马克思主义经典著作研读"课为抓手，进行了积极的探索，走出了一条"读原著、学原文、悟原理"的新路子，逐步形成了马克思主义理论专业人才培养的"北大模式"。

北京大学具有学习、研究和传播马克思主义的光荣传统。北京大学是中国马克思主义的发祥地，是中国共产党最早的活动基地，是中国马克思主义理论教育的诞生地。1920年，李大钊在北大开设了"唯物史观""工人的国际运动与社会主义的将来""社会主义与社会运动"等马克思主义理论课程和专题讲座，带领学生阅读马克思主义经典著作，公开讲授和宣传马克思主义。李大钊在北大所做的这些工作，与拉布里奥拉在意大利罗马大学、布哈林在苏俄红色教授学院、河上肇在日本京都帝国大学进行的马克思主义理论教学和研究工作，共同开启了马克思主义理论进入高校课堂的先河。

一百多年过去了，一代代的北大人始终把学习研究和宣传马克思主义作为自己的崇高使命，始终把马克思主义经典著作的学习研读作为教育教学的一项重要内容。2014年5月4日，习近平在北京大学师生座谈会上的讲话中指出，北京大学是新文化运动的中心和五四运动的策源地，是这段光荣历史的见证者。长期以来，北京大学广大师生始终与祖国和人民共命运、与时代和社会同前进，在各条战线上为我国革命、建设、改革事业作出了重要贡献。2018年5月2日，习近平总书记在北京大学考察时指出，北京大学是中国最早传播和研究马克思主义的地方。中国共产党的主要创始人和一些早期著名活动家，正是在北大工作或学习期间开始阅读马克思主义著作、传播马克思主义的，并推动了中国共产党的建立。这是北大的骄傲，也是北大的光荣。由此我们可以看到，北大具有学习研究和传播马克思主义的光荣传统，具有与祖国和人民共命运、与时代和社会同前进的光荣传统，具有爱国、进步、民主、科学的光荣传统。因此，如果要讲北大传统，首先就是马克思主义的传统；如果要讲北大精神，首先就是马克思主义的精神。北大学习研究和传播马克思主义的精神和传统始终与马克思主义经典著作的研读和学习紧紧结合在一起。

2018年5月2日，习近平总书记视察北大马克思主义学院时指出："高校马克思主义学院就是要坚持'马院姓马，在马言马'的鲜明导向和办学原则，为巩固马克思主义在意识形态领域的指导地位，推动马克思主义进校园、进课堂、进学生头脑，发挥应有作用。"在习近平总书记重要讲话精神的指导下，北京大学马克思主义学院逐步确立了以"埋首经典，关注现实"为基本理念、以马克思主义经典文献学习研读为重要内容的马克思主义卓越人才培养的"北大模式"。其中加强和完善"马克思主义经典著作研读"课程，并对研究生、特别是博士研究生进行马克思主义经典著作的中期考核成为北大博士生培养的一个重要环节。

北京大学马克思主义学院的学生究竟怎样学习马克思主义基本原理？怎样阅读马克思主义经典著作呢？

习近平总书记指出："学习理论最有效的办法是

读原著、学原文、悟原理。"要学好马克思主义理论，就必须要读马克思主义经典作家的原著，学马克思主义经典作家的原文，悟马克思主义基本原理。一句话，就是必须要学好马克思主义经典著作。"马克思主义经典著作"这门课一直是我国高校马克思主义学院研究生的核心课程。北大给硕士生开设的马克思主义经典著作课叫"马克思主义经典著作导读"，给博士生开设的马克思主义经典著作课叫"马克思主义经典著作研读"。我负责博士生的"马克思主义经典著作研读"课始自2010年秋季。一开始是我一个人讲，后来孙蚌珠、孙代尧老师加入进来，再后来马克思主义基本原理所、马克思主义发展史所的老师们也陆续加入到了本课程的教学和研究工作中。博士生的"马克思主义经典著作研读"课程的学习时间是一年，学习阅读的文本有30多篇。北大学习研读经典文本的基本方式是在学习某一文本之前，先由学生来做文献综述，通过文献综述把这一文本的文献概况、主要内容、学界争论的焦点问题、学者研究的基本方法和形成的基本范式梳理概括出来。呈现给读者的这套《读原著、学原文、悟原理》丛书，就是北京大学马克思主义学院2016级博士生在"马克思主义经典著作研读"课程学习过程中，在授课老师指导下围绕所学的马克思恩格斯经典文本完成的成果结集。授课教师从 2016 级博士生的研读成果中精选出了优秀的研究成果，经反复修改完善，以"读原著、学原文、悟原理"作为丛书书名出版。

本丛书收录了从马克思高中毕业撰写的三篇作文到恩格斯晚年撰写的《路德维希·费尔巴哈和德国古典哲学的终结》等代表性著述 20 余篇。这 20 篇著作是北京大学马克思主义学院马克思主义理论一级学科各专业和政治经济学、科学社会主义与国际共产主义运动专业博士生必修课"马克思主义经典著作研读"的必学书目。丛书作者对这 20 余篇著作的研究状况和研究内容的梳理、概括和总结，基本上反映了北大"马克思主义经典著作研读"课程的主要内容，展现了北大马克思主义学院博士生学习研读马克思主义经典著作的基本情况，是北大博士生阅读马克思主义经典文本、学习马克思主义基本原理的一个缩影。在某种意义上说，这些成果体现了北大马克思主义学院博士生学习马克思主义经典著作的基本方式。因此，我们可以自豪地说，马克思主义经典文本可以"这样读"，马克思主义基本原理可以"这样学"。

本书对马克思恩格斯每一时期文本的介绍和阐释主要是围绕以下四个方面的内容展开的。一是对马克思恩格斯这一文本的写作、出版和传播等主要情况的介绍和说明，二是对这一文本的主要内容的介绍和提炼，三是对国内外学者关于这一文本研究的基本方法、形成的基本范式和切入点的概括总结，四是对国内外学者在这一文本研究过程中所涉及到的一些具有争议性的问题或焦点问题的梳理和辨析。在每一章的后面，作者又较为详细地列出了该文本研究的主要参考文献，也就是关于每一个文本的代表性研究成果。本书力图从以上四个方面入手，尽可能客观全面地展示国内外学者关于马克思恩格斯这些经典文本的研究状况、研究结论和研究方法，以期对马克思主义学院师生学习、研读马克思主义经典著作提供参考和借鉴。

马克思主义理论是我们做好一切工作的看家本领，也是领导干部必须普遍掌握的工作制胜的看家本领。我们期望这套20本的"读原著、学原文、悟原理"丛书能够在这方面给大家提供一些积极的启示和有益的帮助。

孙熙国

2022.2

目 录 CONTENTS

一、文献写作概况   001

二、文献内容概要   019

三、研究范式   042

四、焦点问题   054

一、文献写作概况

《神圣家族,或对批判的批判所做的批判。驳布鲁诺·鲍威尔及其伙伴》(本篇简称《神圣家族》)写于1844年9月至11月间,于1845年2月在德国法兰克福出版。"神圣家族"这一书名来自基督教,拉丁文称作Sancta Familia,是耶稣基督、圣母玛利亚及玛利亚的丈夫约瑟的合称,有时还外加施洗约翰和以利沙伯,也称"拿撒勒家族"(天主教称"纳匝肋家族")。"圣家族"是经典的圣诞主题,包括基督降生、牧人崇圣、博士来拜以及流亡埃及,同时这一主题也常见于各类教会建筑的内部装饰和绘画、雕塑等艺术品,不乏杰作,其中非常著名的一幅画作是意大利文艺复兴时期画家安德烈阿·曼泰尼亚绘于1845年的作品,描绘了神圣家族及随侍的门徒、天使和神父。马克思和恩格斯借用这个题名来讽喻以布鲁诺·鲍威尔为首的青年黑格尔派成员,他们把鲍威尔比作耶稣,把其他几个伙伴比作他的门徒。这些人妄自尊大,自以为超乎群众之上,正像耶稣在人间传道一样。

《神圣家族》是一部以批判布鲁诺·鲍威尔为首的青年黑格尔派的论战性著作,也是马克思、恩格斯合作完成的第一部哲学著作。此时的马克思刚完成《1844年经济学哲学手稿》(本编简称《手稿》)前两个笔记本的写作不久,1844年8月,恩格斯在返回曼彻斯特的途中经过巴黎,两人在巴黎一家咖啡馆再次相见。不同于第一次相见时的冷淡,此次会面他们相谈甚欢,开始了持续一生的伟大友谊。在此次会面之前,恩格斯为马克思在巴黎主编的《德法年鉴》提供了两篇文章,一篇是《英国状况。评托马斯·卡莱尔的〈过去与现在〉》,另一篇是《国民经济学批判大纲》,尤其是后一篇文章得到了马克思极高的赞扬。客居巴黎期间马克思已经开始了对政治经济学的摘录研究,写下了9本经济学笔记,由于缺乏对资本主义生产方式的直观经验,马克思对政治经济学的研究不如恩格斯深刻,恩格斯的著作也进一步激发了马克思对经济学的研究兴趣。两人开始互相通信,并最终促成了在巴黎的这次"历史性的会面"[1]。由于"在一切理论领域中都显出意见完全一致"[2],他们一拍即合,立即决定合写一本批判青年黑格尔派尤其是布鲁诺·鲍威尔哲学观点的小册子。

布鲁诺·鲍威尔是柏林青年黑格尔派公认的领袖,鲍威尔自1829年起在柏林大学神学系学习,恰逢同年黑格尔当选柏林大学校长,黑格尔哲学在德国的影响力如日中天,鲍威尔在黑格尔去世前聆听过他的讲座,并整理了笔记,可见鲍威尔很早就受到了黑格尔思想的影响。随后,他通过以正统黑格尔派观点批判施特劳斯的《耶稣传》而奠定了自己在黑格尔派中的地位,两人的持续争论使得黑格尔派分裂为老年黑格尔派与青年黑格尔派。1838年鲍威尔出版了《启示史批判》,认为绝对精神作为上帝仍然是抽象的,只有自我意识才可以在历史中起作用,凭借此书鲍威尔转而一举成为青年黑格尔派的精神领袖。1839年至1843年,鲍威尔从事青年黑格尔派的激进活动,例如在柏林大学的同事和

---

[1] [英]戴维·麦克莱伦:《马克思传》,王珍译,中国人民大学出版社2016年版,第120页。
[2] 《马克思恩格斯文集》第4卷,人民出版社2009年版,第232页。

朋友中组织"博士俱乐部",经常参加俱乐部活动的多为持激进观点的年轻人,包括马克思在内。实际上,马克思、恩格斯一开始也是青年黑格尔派的重要成员,但在马克思、恩格斯逐渐向唯物主义和共产主义转变的时候,以鲍威尔为首的青年黑格尔派成员日益走向保守和堕落,醉心于抽象的哲学理论,陷入了主观主义和无政府主义。由于普鲁士当局实行迫害、威胁等镇压政策,鲍威尔被逐出波恩大学,《莱茵报》等进步报纸被查封,青年黑格尔派运动开始分裂。1842年年底柏林的青年黑格尔派改称"自由人",核心成员有布鲁诺·鲍威尔、麦克斯·施蒂纳、埃德加·鲍威尔等人,他们不关注现实生活,而注重抽象的哲学争论,逐渐放弃了原本的激进民主主义观点,陷入了思辨唯心主义和无政府主义中。可以说从《莱茵报》时期开始,马克思与青年黑格尔派的分歧就已经逐渐地公开化,担任《莱茵报》编辑时,马克思拒绝发表"自由人"的稿件,导致与鲍威尔的关系破裂。1843年秋,马克思的《论犹太人问题》发表之后,马克思和鲍威尔在观点上的争论全面爆发。此后一年间,鲍威尔在《文学总汇报》上写了一系列文章,他是"第一个批判马克思共产主义理论的人"[1]。尤其在《文学总汇报》的第 8 期上,鲍威尔发表了一篇匿名文章,批评了马克思担任主编的《莱茵报》的自由主义和革命民主主义倾向,这是马克思希望撰文回应鲍威尔的直接动因。但是由于鲍威尔等人"批判的批判"的立场在当时的德国学界并没有得到多数人的认可,《文学总汇报》没有引起多大的反响。因此,当赫斯得知马克思打算批判《文学总汇报》的计划时,他写信劝说马克思无须批判鲍威尔。但与此同时,《莱茵报》的主要创始人格·荣克则为马克思寄去了《文学总汇报》的第 5、6、7 期,希望他能写一篇批判鲍威尔的文章。梁赞诺夫专门引证了格·荣克给马克思的通信,并且指出,马克思"在 1844 年 7 月至 8 月间开始准备出版批判鲍威尔的作品"[2]。一个月后,赫斯也转变了态度,支

---

[1] [波]兹维·罗森:《布鲁诺·鲍威尔和卡尔·马克思》,王谨等译,中国人民大学出版社 1984 年版,第 268 页。
[2] 周嘉昕:《从"〈神圣家族〉的准备材料"到〈1844 年经济学哲学手稿〉——兼论梁赞诺夫对辩证唯物主义的理论贡献》,载《马克思主义与现实》2019 年第 1 期。

持马克思批判鲍威尔。①赫斯和荣克的想法直接影响了马克思,他在1844年8月11日给费尔巴哈的信中再次提出了批判鲍威尔的计划:"我将出一本小册子来反对批判的这种谬误。对我来说,最宝贵的是您能实现把您的意见告诉我,总之,如能早日得到您的回音,我将感到荣幸。"②寄出这封信的半个月后,恩格斯途经巴黎,两人结下深厚的友谊,马克思向恩格斯提出了共同批判鲍威尔的提议,反对《文学总汇报》"把'批判'变成某种超验的存在物"③的做法,恩格斯欣然同意,并在逗留巴黎的十日内就按照原定计划写完了在这部著作中承担的七个部分,1~1.5个印张,共计15页。随后马克思把这本小册子扩展成了一本书,并于1845年2月以《神圣家族》这一讽刺性的标题在美茵河畔法兰克福以单行本出版,对青年黑格尔派进行了一次总清算。鲍威尔接着在《维干德季刊》1845年第3期上发表了反驳马克思的文章,马克思、恩格斯又合

---

① 姜海波:《马克思恩格斯〈神圣家族〉研究读本》,中央编译出版社2017年版,第35—37页。
② 《马克思恩格斯文集》第10卷,人民出版社2009年版,第16页。
③ 《马克思恩格斯全集》第47卷,人民出版社2004年版,第75页。

著了《德意志意识形态》,在第一卷第二章针对鲍威尔的"自我意识哲学"进行批判。这样的哲学论战在1845年以后才逐渐淡出人们的视野。

《神圣家族》在出版后即成为畅销书,引起了极大的反响,甚至进入了政治学和文学的研究视野。但是自1845年出版之后,《神圣家族》并未再版,数量稀缺。1874年李卜克内西根据实际需要,希望恩格斯能够再版此书,但是最终由于一些原因没有实现。在恩格斯晚年,有多位研究者希望获得《神圣家族》的单行本,但是恩格斯手头也只有一本,他表示:"如果这一本丢失,那末我今后就完全不能再预计要出的《全集》里准备出新版了。因此这一本无论出什么代价我都不能放手。"[1] 发行量在很大程度上限制了《神圣家族》一书的传播,在外文版的马克思恩格斯著作集中,最早的一部马克思恩格斯选集是1902年梅林在德国编辑出版的《马克思恩格斯遗著集》,其中未收录《神圣家族》。直到1932年苏联马克思恩格斯研究院主编的《马克思恩格斯全集》原文第一版第3卷(MEGAI第1部

---

[1] 《马克思恩格斯全集》第39卷,人民出版社1974年版,第24页。

分第3卷）中才出现了《神圣家族》。1955年，苏联开始编辑出版俄文第二版《马克思恩格斯全集》，《神圣家族》收录在第2卷中。该版《马克思恩格斯全集》在世界马克思主义传播史上具有重要的影响，很多国家都是依据这一版本的《马克思恩格斯全集》作为本民族语言全集翻译的底本的。如50卷英文版《马克思恩格斯全集》；日本出完39卷版以后，依据俄文第二版出版了日文版全集的补卷；中文第一版《马克思恩格斯全集》是根据俄文第二版全集并参考德文版全集翻译出版的；欧洲所有的社会主义国家都是在俄文39卷全集的基础上出版本国的《马克思恩格斯全集》，在当时编辑者看来，《神圣家族》是利用了《1844年经济学哲学手稿》和《克罗茨纳赫笔记》中的法国革命史研究的成果而创作的，这样就使读者把《神圣家族》纳入马克思思想转折期的阶段中去考察，而这种看法几乎被以此为翻译底本的其他《马克思恩格斯全集》接受了下来。例如《神圣家族》中译本的卷首说明中就接受了苏共中央马克思列宁主义研究院的说法，认为"'神圣家族'一书在很大程度上受了路·费尔巴哈唯物主义观点的影响，费尔巴哈在马克思和恩格斯从唯心主义向唯物主义的过渡中起了重大的作用；同时这部著作已经含有1845年春马克思在'费尔巴哈论纲'中批判费尔巴哈的形而上学的、直观的唯物主义时所持的某些论点"[1]。

此外，其他主要语种的马克思恩格斯作品编辑状况我们以英译本为例略做说明。《共产党宣言》《资本论》第1卷等重要著述在恩格斯逝世前就已经有了英文译本，到20世纪20年代时，马克思和恩格斯的许多著作都陆续译成英文，在英美出版发行。1924年，美国共产党在纽约成立了国际出版社，并同苏联的"马克思恩格斯研究院"建立了紧密的联系，开始有计划地出版马克思恩格斯著作和其他社会主义著作。直到1926年，《马克思文选》在纽约和伦敦两地出版，这是英语世界第一次编辑马克思和恩格斯的著作选集。该版本摘编了《黑格尔法哲学批判》和《论犹太人问题》等早期著作7篇，未收录《神圣家族》。同年在纽约出版的《马克思基本著作》只包括《共产党宣言》《雇佣劳动与资本》《工资、价格和利润》3篇和恩格斯的序言。

---

[1] 马克思、恩格斯：《神圣家族》，人民出版社1962年版，第2页。

1932年美国共产党人伊斯特曼编辑了一个选编本，题为《资本论·共产党宣言及卡尔·马克思的其他著作》，其中摘编了《德意志意识形态》《哲学的贫困》《政治经济学批判》《法兰西内战》和《哥达纲领批判》等，也未能收录《神圣家族》。此后还出现了1935年阿多拉茨基编辑的《马克思选集》和1949年在莫斯科出版的两卷本《马克思恩格斯选集》，仍未能收录《神圣家族》。直到1956年，《神圣家族》的完整英文译本才首次刊行。在苏共中央马克思列宁主义研究院的统筹下，莫斯科进步出版社从1975年开始与英国共产党、美国共产党的两家出版社合作出版英文版《马克思恩格斯全集》，截至2005年，50卷已经全部出齐，这是目前英语世界最大规模、最为权威的版本，该版本目前可以通过网页浏览①，《神圣家族》收录于该版《马克思恩格斯全集》第4卷，是1975年在莫斯科印刷出版的。除此之外，在英语世界中，也有学者编选了《神圣家族》中的部分内容，并提供了各自的英译本。博托莫尔和吕贝尔在《马克思社会学与社会哲

---

① https://www.marxists.org/archive/marx/works/cw/index.htm

学文选》中编选了《神圣家族》中的诸多片段,并由博托莫尔本人译为英文。[1]罗伯特·塔克在《马克思恩格斯读本》中编选了《神圣家族》第四章第4节的片段,英译文也是由编者本人提供的。[2]

《神圣家族》是较早的被翻译成中文的为数不多的马克思主义著作之一,对于马克思主义在中国的传播起到了重要的作用,中译本的版本流变和传播情况较为复杂,并且由于宣传的需要,译者只是把有利于革命需要的部分章节译介过来。因此,在很长的一段时间内,我国理论界都没能看到这部著作的全貌,不过这也不能磨灭《神圣家族》在马克思主义中国化传播史中的重大意义。中文版《神圣家族》的节选最早出现在1929年12月出版的《费尔巴哈论》一书的附录中,译者为彭嘉生,节译了《神圣家族》第六章第3节(d)"对法国唯物主义的批判的战斗",篇名为"法兰西唯物论史"。1930年出版的《马克思恩格斯关于唯物论的断片》一书

---

[1] T. B. Bottomore and Maximilien Rubel, "Kar Marx Selected Writings in Sociology and Social Philosophy", Edited with an Introduction and *C.A. Watts and Co. Ltd*, 1961.
[2] Robert C. Tucker, "The Marx-Engels Reader", *W. W. Norton Co*, 1978.

中同样节选了"对法国唯物主义的批判的战斗"部分，篇名改译为"法国唯物论史"，译者署名向省吾，该版增加了三条注释。1930年2月，上海社会科学研究会出版了《马克思论文选译》第一集，其中刊载了由早期无产阶级革命家和马克思主义者李一氓翻译的《神圣家族》节译本，《马克思论文选译》是根据由美国共产党成立的国际书店出版的英文版翻译而成的，其翻译底本是俄文编定本。这部著作以列宁的《卡尔·马克思》一文为代序（原书标题为"马克思主义引论"），选取了马克思的9篇文章，其中前三篇是专著，包括：（1）《哥达纲领批评》（即《哥达纲领批判》）；（2）《工钱劳动与资本》（即《雇佣劳动与资本》）；（3）《经济批判导言》（即《〈政治经济学批判〉导言》，出自《1857—1858年经济学手稿》）。其余6篇文章都译自《资本论》第1卷和《神圣家族》的章节，包括：（4）《资本积蓄的历史倾向》（即《资本论》第1卷第二十四章第七节）；（5）《蒲鲁东》（即《神圣家族》第四章第四节摘译）；（6）《法兰西的唯物论》（即《神圣家族》第六章第三节摘译）；（7）《中国革命与欧洲》（即《中国革命和欧洲革命》）；

(8)《六月的日子》(即《六月革命》);(9)《1848年革命与无产阶级》(即《在〈人民报〉创刊纪念会上的演说》)。可见,第5、6两篇文章节译了《神圣家族》第四章中的"批判性的评注1""批判性的评注2"和第六章中的"对法国唯物主义的批判的战斗"等章节中的部分内容,同时还将注释增加到50条。这部著作对于当时中国的马克思主义传播起到了重要的作用,促进了20世纪早期中国知识界对马克思主要思想的理解和把握。1930年4月,上海亚东图书馆出版了由程始仁编译的《辩证法经典》,这部著作编译了马克思、恩格斯和列宁的有关唯物辩证法论述的文章,共有10篇,其中包括:《思辨的构成之秘密》,即《神圣家族》第五章摘译;《关于傅渥耶巴赫的论纲》,即《关于费尔巴哈的提纲》;《唯物的见解和唯心的见解之对立》,即《德意志意识形态》第1卷摘译;《经济学的形而上学》,即《哲学的贫困》第2章摘译;《经济学研究之一般的结论》,即《〈政治经济学批判〉序言》摘译;马克思的《经济学批判》,即《卡尔·马克思〈政治经济学批判〉》;《给古盖尔曼的书信(一八六八年七月十一日)》,即《马克思致路德维希·库格曼1868年7月31日》摘译;《唯物辩证法与马克思主义》,即《反杜林论》引论的摘译;《什么是物质?什么是经验?》,即《唯物主义和经验批判主义》第3章摘译;《关于辩证法的问题》,即《谈谈辩证法问题》。1932年5月,上海昆仑书店出版了由杨东莼和宁敦伍共同翻译的恩格斯《费尔巴哈论》(又名《机械论的唯物论批判》)一书,其中收录了《神圣家族》第六章第3节的内容,取名为《法兰西唯物论史》。1936年5月25日,东京质文社出版了由郭沫若翻译的《神圣家族》第五章和第八章的节译本,这是中文版《神圣家族》的又一个节译本。郭沫若翻译的最主要的马克思主义著作有《政治经济学批判》(1931年12月上海神州国光社初版,1932年7月再版,1939年5月又以言行出版社名义出版),《德意志意识形态》(节译)(1938年11月言行出版社出版)和《神圣家族》(节译)(1936年5月25日东京质文社出版,1936年11月15日再版)三部著作,都具有重要价值。他原本还打算翻译《资本论》,但最后未能如愿。郭沫若翻译《神圣家族》版本是在特殊年代的特殊形式下在日本出版的。1930年,在中国共产党的领导下成立了"左翼作家联盟",后来又建立了"马克思文艺理论研究会",促进了马克思文艺理论的翻译工作。1934年,在日本东京的中国左翼作家联盟的中国进步的文艺工作者秘密成立了"左联"东京分盟,并创办了三个刊物,《杂文》就是其中之一,这个杂志得到了当时一系列左翼作家的支持,在文艺界具有较大的影响,它刊登了鲁迅、茅盾等作家的文章,郭沫若也是重要的支持者之一,这套杂志的革命的性质引起了日本反动当局的注意,因此在出版了三期后被勒令停刊了。有鉴于此,郭沫若以歌德的书名《质与文》建议杂志改名为《质文》,并且亲自为《质文》题了字,以便继续出版,这就是"质文社"得名的由来。"质文社"还编辑出版了一套"文艺理论丛书",包括马克思、高尔基等关于文艺的论述,目的是让作家"把握住科学的理论,以认识和表现社会的现实"。因此,《质文》杂志起到了十分重要的理论宣传作用。郭沫若版《神圣家族》节译本根据1932年出版的阿多拉茨基编的《马克思恩格斯全集》第3卷德文并对照日译本翻译而成,按德文逐节译出,并且把节译的部分命名为《艺术作品之真实性》,收入"文艺理论丛书"之中，该书主要是《神圣家族》第五章、第八章的节译本，共分八个标题：（一）抽象与具体性；（二）思辨的方法之虚伪的自由，节译自《神圣家族》第五章第二节"思辨结构的秘密"；（三）思辨的文艺批评之畸形的一例；（四）苏泽里加大师之舞蹈观，节译自《神圣家族》第五章第三节"有教养的社会的秘密"；（五）布尔乔治的典型之理想化，节译自《神圣家族》第五章第六节"斑鸠"；（六）文学中的典型及社会关系歪曲之实例；（七）布尔乔治浪漫主义文学之肯定的典型之暴露；（八）被揭发了的"立场"之秘密，节译自《神圣家族》第八章第一节"屠夫批判地变成了狗，或'刺客'"、第二节（b）"玛丽花"、第三节（b）"奖赏和惩罚。双重裁判（附表）"、第四节"'观点'的被揭露了的秘密"。1947年3月，上海群益出版社再版该书的竖排平装本，名为《艺术的真实》，注明"沫若译文集之六"。1949年7月，上海群益出版社重印该书，封面印有"文艺理论丛书"字样。1936年2月15日，郭沫若撰写了"前言"，为了方便读者了解原文，他还附加了一些注释，说明了版本和翻译上的一些需要注意的问题，并于1936

年5月25日出版。之后郭沫若又在1936年6月15日出版的《质文》第5、6合刊号上发表了《黑格尔式的思辨之秘密》一文，这是《神圣家族》第五章的部分译文。

中华人民共和国成立之后，马克思主义著作的编辑和出版得到了有利的环境，马克思主义经典著作的译介得到了国家的大力支持。1954年3月，中共中央编译局在北京举办了"马克思列宁主义在中国的传播"展览会，这个展览会向观众展示了马克思列宁主义在中国的传播状况，在筹备展览会的过程中，中央编译局编制了一套图书目录，摄制了数百张珍本书的照片，这其中就有十分珍贵的《神圣家族》首次出版的德文原文版本，也就是1845年在美茵河畔法兰克福出版的单行本的影印本。1957年12月，《马克思恩格斯全集》中文第一版第2卷问世，其中刊载了《神圣家族》的全文，中文第一版《马克思恩格斯全集》是依据俄文第二版《马克思恩格斯全集》翻译而成的，这是我国首次出版的《神圣家族》的全文版，新的义本带来了重新考察马克思思想的要求，使得马克思主义研究进入新的研究阶段。在此之后，《神圣家族》研究、早期马克思与恩格斯思想发展的研究、马克思恩格斯唯物史观研究、《神圣家族》与马克思主义经济学之间关系等理论问题，成为20世纪50年代末我国马克思主义研究的一个学术热点论题，这正是由于我国的马克思主义理论研究者可以利用这部著作的全貌而带来的。1958年，中央编译局编译的《神圣家族》单行本由人民出版社出版发行，单行本的形式使得《神圣家族》具有了更易于传播的特性，促进了这部著作更为广泛的传播。自1965年起，中央编译局开始编选《马克思恩格斯选集》，但是，四卷本的《马克思恩格斯选集》刚刚印好就爆发了"文化大革命"，这些印好的著作只能被长期尘封在书库里。直到1971年，周恩来总理主持召开了全国出版工作座谈会，做出明确指示要重新编辑出版四卷本《马克思恩格斯选集》。于是这套书于1972年5月出版，但并未编选《神圣家族》中的内容。改革开放以后，为了满足广大读者的需求，人民出版社于1995年6月出版发行了《马克思恩格斯选集》第二版，这是目前我国印数最多、传播最广的马克思恩格斯著作选集：1997年5月第3次印刷，印数达到32000册；2004年5月第5次印刷，印数达42000册；2008年11月第7次印刷，印数已达52000册。遗憾的是，该版仍然没有收录《神圣家族》。直到2009年12月，人民出版社出版刊行了十卷本的《马克思恩格斯文集》，第一卷中节选了《神圣家族》中的部分内容。该版与1958年出版的《马克思恩格斯全集》相比，中央编译局在译文上做了较大修改，在注释方面也有较多的增补，而且为读者提供了更多的背景知识。中文版《神圣家族》自1929年部分章节的发表到1957年《马克思恩格斯全集》中文第一版第2卷的出版走过了28个年头，到2009年的最新节译版已历经80年，从《神圣家族》中译本的出版史可以窥见马克思主义在中国传播的一段波澜壮阔的曲折历史。①

二、文献内容概要

《神圣家族》全书共分为篇幅不等的九个章节，由于这是一本论战性著作，马克思、恩格斯对思辨哲学（"批判的批判"）的批判就成了贯穿全书的主题。马克思、恩格斯主要针对的是《文学总汇报》

---

① 《神圣家族》的版本考证和传播历史参见姜海波：《马克思恩格斯〈神圣家族〉研究读本》，中央编译出版社2017年版，第38—50页。

的如下10篇文章：卡·赖哈特的《关于赤贫化的论文》，载《文学总汇报》第1、2期（1843年12月和1844年1月）；茹·法赫尔的《英国的迫切问题》，载《文学总汇报》第7、8期（1844年6月和7月）；荣格尼茨的《瑙威尔克先生和哲学系》，载《文学总汇报》第6期（1844年5月）；埃德加·鲍威尔的《评弗洛拉·特莉斯坦的〈工人联合会〉》，载《文学总汇报》第5期（1844年4月）以及《蒲鲁东》，载《文学总汇报》第5期（1844年4月）；施里加的《评欧仁·苏的〈巴黎的秘密〉》，载《文学总汇报》第7期（1844年6月）；布鲁诺·鲍威尔的《犹太人问题的最新论文》，载《文学总汇报》第1、4期（1843年12月和1844年3月）；布鲁诺·鲍威尔的《评辛利克斯讲义第2卷》，载《文学总汇报》第5期（1844年4月）以及《目前什么是批判的对象？》，载《文学总汇报》第8期（1844年7月）；希采尔的《苏黎世的通讯》，载《文学总汇报》第5期（1844年4月）。

马克思把恩格斯撰写的三章放在了该书的开头，在这三章中，恩格斯讽刺了赖哈特的空洞辞藻、法赫尔的翻译错误和荣格尼茨对瑙威尔克被柏林大学解职一事的肤浅评论。《神圣家族》其余的大部分由马克思撰写，他在恩格斯离开巴黎后调整了原定写作计划，大大深化了这部著作的内容。马克思分别基于埃德加·鲍威尔对蒲鲁东《什么是财产？》的评述和施里加对欧仁·苏《巴黎的秘密》的评价展开了批判，揭示以布鲁诺·鲍威尔为首的青年黑格尔派的思辨唯心主义的错误在于从精神出发来理解历史现实和群众运动。在《神圣家族》中，马克思和恩格斯通过批判青年黑格尔派和黑格尔本人的唯心主义观点，指出是社会的物质生产而不是自我意识在人类发展过程中起决定作用，论证了人民群众在历史发展中的伟大作用，而不是像鲍威尔等人认为的那样群众只是精神的附庸。同时，马克思和恩格斯还分析了18世纪法国唯物主义的内容和意义，阐明了唯物主义思想和共产主义的联系，从而为全面阐述唯物史观奠定了基础。

马克思在《神圣家族》的序言中开篇即写道："现实人道主义在德国没有比唯灵论或者说思辨唯心主义更危险的敌人了。思辨唯心主义用'自我意识'即'精神'代替现实的个体的人，并且同福音传播者一道教诲说：'精神创造终生，肉体则软弱无能。'"① 指出批判鲍威尔等人的意义，鲍威尔的思辨唯心主义在马克思看来是"基督教德意志原则的最完备的表现"，马克思和恩格斯写作《神圣家族》的目的就是对"批判的批判"进行批判，来"帮助广大读者识破思辨哲学的幻想"②。但由于马克思和恩格斯所批判的思辨哲学在各方面都低于当时德国的理论发展水平，因此，马克思、恩格斯在序言中指出，假如他们在这篇文献中没有进而对当时德国理论的发展本身加以探讨，那是由于他们所研究的对象的本质所致。与此同时，他们也不得不用当时所达到的成果本身来同他们所批判的对象做一个简单的对比。在他们看来，"现已达到的成果"主要指的是费尔巴哈的哲学和蒲鲁东的经济学，鲍威尔等人还处于拙劣模仿和歪曲黑格尔哲学的程度，而这两项成果已经超越了黑格尔，因此用当时已经达到的成果来与思辨唯心主义对比就已经足够了。

第一章题为"以订书匠的姿态出现的批判的批判或赖哈特先生所体现的批判的批判"，恩格斯首先批评了思辨哲学那种超出群众、怜悯群众和

---

①② 《马克思恩格斯文集》第 1 卷，人民出版社 2009 年版，第 253 页。

恩赐群众的心态，并以引用赖哈特先生的古怪的和难以理喻的语句的方式，挖苦了思辨哲学自认为是"通俗化的表现方法"。第二章是"体现为《MüHLEIGNER》的批判的批判或茹尔·法赫尔先生所体现的批判的批判"，在第二章中，恩格斯指出法赫尔在历史中颠倒因果，批判了思辨哲学不去承认历史的真实的发展反而要求历史应当如何的做法，认为思辨哲学的历史与真正的历史大不相同，而他们不承认真正的历史是"因为这无异于承认卑贱的群众的全部群众的群众性，而事实上这里所涉及的正是要使群众摆脱这种群众性"。恩格斯进而指出这些思辨哲学的神圣家族的成员完全不了解和不理解当时的英国社会，甚至只好将英国内务大臣从来没有说过的话归之于这位大臣，来显示自己的聪明，希望从原则出发改造英国的历史和语言。在第三章"'批判的批判'的彻底性或荣格尼茨先生所体现的批判的批判"中，恩格斯指出，思辨哲学用四页的篇幅以某种详细而逻辑矛盾的大纲对瑙威尔克先生离开柏林大学哲学系的事情以及和柏林大学哲学系的争论进行分析，但"扬弃了"自己的彻底性"因素"的批判的批判又变成了"认识的宁静"。

第四章标题为"体现为认识的宁静的批判的批判或埃德加先生所体现的批判的批判",其中第3节和第4节出自马克思,马克思将第4节的标题拟为"蒲鲁东",针对的就是埃德加·鲍威尔在《文学总汇报》第5期发表的《蒲鲁东》一文,在该节中,马克思把埃德加·鲍威尔批评蒲鲁东的内容主要分为"批判性的评注"和"赋予特征的翻译"两部分,穿插写作。在"批判性的评注"部分,马克思是先正面阐述并评价蒲鲁东的思想,然后再批判埃德加·鲍威尔的观点,相当于先立论再驳论,但这里的立论却不能完全代表马克思的观点,正如马克思在《神圣家族》的序言中所说,"是批判的批判使我们不得不用现已达到的成果本身来批驳它",也就是利用蒲鲁东的成果来批判鲍威尔及其伙伴。首先是关于国民经济学中的人性假象,前提性批判是哲学批判的重要特征,马克思认为蒲鲁东的《什么是财产?》就采取了前提性批判的方式来批判国民经济学,因此对蒲鲁东的评价极高,他说:"蒲鲁东则对国民经济学的基础即私有财产作了批判的考察,而且是第一次具有决定意义的、无所顾忌的和科学的考察。这就是蒲鲁东在科学上实现的巨大进步，这个进步在国民经济学中引起革命，并且第一次使国民经济学有可能成为真正的科学。蒲鲁东的著作《什么是财产？》对现代国民经济学的意义，正如西哀士的著作《第三等级是什么？》对现代政治学的意义一样。"[1] 蒲鲁东的观点与当时马克思、恩格斯的观点有很大的相似之处，蒲鲁东利用国民经济学的这些前提来反驳国民经济学家。恩格斯的《国民经济学批判大纲》与马克思写作的《1844年经济学哲学手稿》都认为私有财产是国民经济学的前提，国民经济学家对此不做任何进一步的考察。不过恩格斯在《国民经济学批判大纲》已经将工资、商业、价值、价格、货币等看作私有财产的进一步的形式，但是蒲鲁东对国民经济学的前提性批判仍然具有十分重要的理论意义。在国民经济学中，私有财产不仅是天然合理的，而且合乎人性的和合理的关系，正像神学家经常从合乎人性的观点来解释宗教的起源及其观念的演变一样。马克思以工资为例展开论述，在国民经济学中，工资表现为产品中劳动应得的份额，工资和资本的利润本

---

[1] 《马克思恩格斯文集》第1卷，人民出版社2009年版，第256页。

应处在最敌对的、相反的关系中，即工资和资本的利润属于正相关的反比关系，却被国民经济学家描述为处在最友好的、互惠的、仿佛最合乎人性的关系中。蒲鲁东的著作还揭示出另外的方面，即价值是一个纯粹偶然的规定，它甚至同生产费用和社会效用无关。在形式上，工资的多少是工人和资本家自由协商来确定的，因而双方都是自由的，而蒲鲁东发现，在实质上，工人是被迫与资本家签订劳动合同的，工资也是由资本家确定，资本家把工资压到尽可能低的水平同样是被迫的，否则资本家也不能存在下去，因而双方都是不自由的，以此类推，商业等其他方面的情况也是如此。可见，在国民经济学中，对现实经济关系的描述就与人性的假象发生无法解决的深层矛盾，这种矛盾无法在国民经济学内部得到解决。进一步的，关于贫困问题，蒲鲁东看到了贫困和财产之间的内在联系，他要废除私有财产以消除贫困，并且详细地说明了资本的运动如何造成贫困。但是埃德加·鲍威尔的错误在于对贫困和财产的事实没有认识，却在自己的想象中把两件事合二为一，然后讨论这个整体本身存在的前提，并以此来批判蒲鲁东。马克思按照蒲鲁东的思路认为，在资本主义世界中，无产阶级表现为贫困，资产阶级表现为财产的占有，二者是对立的，马克思还讲到了消灭这种对立的条件，一方面，私有财产只有通过不以它为转移的、不自觉的、同它的意志相违背的、为事物的本性所决定的发展，即私有财产已经不能带来社会的总体富足；另一方面，只有当私有财产造成无产阶级意识到自己在精神上和肉体上贫困的那种贫困，意识到自己的非人化，从而自己消灭这种非人化时，无产阶级获得胜利就意味着私有财产走向自我瓦解，无产阶级本身以及私有财产都会消失。这样，无产阶级将发挥具有世界历史意义的作用。因为无产阶级的生活条件集中表现了现代社会的非人性状况，也就是现代社会在无产阶级身上表现为绝对的贫困，所以无产阶级能够而且必须自己解放自己。在"赋予特征的翻译"部分，马克思的方法是，在每一个具体的例子中先列举埃德加·鲍威尔的说法，称之为"批判的蒲鲁东"或"蒲鲁东第一"，然后再重新将蒲鲁东的法文著述中的观点翻译出来，并称之为"真正的蒲鲁东"或"蒲鲁东第二"，通过对比的方式揭示出埃德加·鲍威尔利用翻译对蒲鲁东思想的歪曲。

马克思开门见山地指出，"埃德加尔先生赋予这部著作以特征的方法是翻译。当然他赋予它的是丑恶的特征，因为他把它变成了批判的对象"①。随后，马克思举出很多例子来证明埃德加·鲍威尔怎样利用翻译篡改了蒲鲁东的原意。比如蒲鲁东追求的不是抽象的科学目的，而是通过"废除特权"向社会提出一些直接实践的要求，或者说是根据法国群众的实践来谈公平，公平是蒲鲁东立论的要领。在埃德加·鲍威尔赋予特征之后，蒲鲁东的公平思想就变得无从理解了。埃德加·鲍威尔将"物质界的事实"译作"物理学的事实"，把"精神生活的事实"译作"智慧的事实"，这样蒲鲁东通过历史上的事实例证法来证明"公平"会不断实现，即原则通过自身的否定，而实现的观点就被彻底歪曲了。马克思说："既然被批判地赋予特征的蒲鲁东和真正的蒲鲁东之间有这样一些分歧，那末，蒲鲁东第一所企图证明的东西跟蒲鲁所要证明的东西完全不同，就丝毫也不值得奇怪了"。②"批判的批判"指责蒲鲁东将平等神圣化，从而也将财产神圣化，在分割

---

① 《马克思恩格斯全集》第2卷，人民出版社1957年版，第27页。
② 《马克思恩格斯全集》第2卷，人民出版社1957年版，第34页。

土地的瞬间就实现了从占有到财产的过渡。马克思仍是通过列举"批判的蒲鲁东"和"真正的蒲鲁东"来说明，土地耕作是土地占有的基础，仅仅保护劳动果实，不同时保证生产工具是不够的。财产的最初占有者并非由于关心自身的需要，就会忽略财产的发展进程。可见，蒲鲁东所理解的财产并不是僵化的、固定不变的，更不是从平等的原则中引申出来的。"批判的批判"为了批判蒲鲁东的观点，先修改法国经济学家萨伊的术语，把"自然的占有物"译为"自然的财富"。但是，萨伊在《政治经济学概论》中十分明确地指出，他所说的财富既不是财产，也不是占有物，而是"价值的总和"。埃德加·鲍威尔认为，萨伊从土地比空气和水易于占有的事实出发，引申出把田野变为财产的权利，但是萨伊没有从土地比较容易占有这个事实引申出土地所有权，蒲鲁东并不同意萨伊的观点，因为萨伊把可能性的问题和权利的问题混为一谈。同样，埃德加·鲍威尔批判社会学家孔德，说他是从有限和无限这两个概念出发来进行论证的。如果他把个必需和必需这两个概念作为主要范畴的话，就可能会得出其他结论。马克思随后阐述了蒲鲁东对孔德的批判，如果孔德以空气、食物和衣服的必要性为出发点，那么土地也是第一必需品，为什么土地成为私有财产？在蒲鲁东看来，孔德的论证方式恰恰证明了和他的论点相反的东西，马克思也赞成蒲鲁东的分析。总之，"批判的批判通过翻译真正的蒲鲁东的著作创造了一个批判的蒲鲁东，从而向群众表明，什么是批判地完成的译文。它向我们表明了什么是'恰如其分的翻译'"[1]。

在第五章"贩卖秘密的商人所体现的批判的批判或施里加先生所体现的批判的批判"中，马克思分析了思辨哲学家是如何以拙劣的黑格尔式的了解方式曲解欧仁·苏的小说《巴黎的秘密》的，并对这本小说进行了他们自己的分析。第五章和第八章在主题上相近，都是针对小说《巴黎的秘密》以及《文学总汇报》第7期上施里加发表的一篇对该小说的评论文章。第五章从施里加的视角展开对"批判的批判"的批判，第八章题为"批判的批判之周游世界和变服微行，或盖罗尔施坦公爵鲁道夫所体现的批判的批判"，是从小说主人公鲁道夫

---

[1] 《马克思恩格斯全集》第2卷，人民出版社1957年版，第63页。

的视角展开批判，揭露了资产阶级、宗教和司法部门的虚伪而残忍的一面，以及资产阶级的消遣性的慈善活动的本质即"人的贫穷、使人不得不接受施舍的那种极度窘迫的境遇，都应供金钱贵族和知识贵族娱乐，应当作为满足他们的自私欲、供他们摆架子和消遣的对象"。其中第五章第2小节，即"思辨结构的秘密"与第八章第4小节，即"被揭露了的有关'观点'的秘密"，也被收录到2009年版《马克思恩格斯文集》的第1卷中去。《巴黎的秘密》是19世纪40年代法国的一部畅销小说，作者欧仁·苏（1804—1857）。这部小说于1842年6月至1843年10月长达一年多的时间里，在法国巴黎的《评论报》上连载，连载时就引起了社会的轰动，汇集成书出版后随即又成为畅销书，很快就被译成多国文字出版。在第1小节中，马克思直接引用了施里加的三段评论加以批判：第一，施里加将"人不论富贵贫贱都一律平等"视为国家的首要信条，马克思则认为相反，大多数国家的信条都一开始就规定富贵贫贱在法律面前不平等；第二，马克思引证宪章运动中的口号来说明，施里加所期望的贫富关系在当时的英国和法国早已不存在了，国民经济学已经从实证的角度说明了工人的肉体贫困和精神贫困;第三,欧仁·苏在小说中描写了罪犯的酒吧间、巢穴和言谈,施里加却好像是发现了一个"秘密",并认定"作者"的目的是要研究作恶的动机的秘密。马克思指出,罪犯的巢穴和他们的言谈反映罪犯的性格,这是罪犯日常生活的组成部分,所以必然要描写到这些方面。欧仁·苏本人已经明确表示,描写上述一切是为了投合读者"又害怕又好奇的心理",显然,施里加的解读完全是一厢情愿的。按照欧仁·苏的小说的叙事结构,马克思在第1小节中分析施里加对罪犯的酒吧间等社会下层场所的思辨解释,然后又在第3小节中转为分析"有教养的社会的秘密",即上流社会。施里加将上流社会解释为有教养的社会,教养则成为上流社会的秘密。为了把贵族社会变成"秘密",施里加几次阐释"教养"的含义,他先给贵族社会全面地加上一些秘密的性质,以便后来再去发现贵族社会并不具备这些"秘密",然后他就把这一发现当作有教养的社会的"秘密"。但是,在欧仁·苏的小说中,从平民社会转到贵族社会的过程是通过写作小说的一般手法来完成的。小说主人公鲁道夫的身份使他既可以深入社会的下层，又可以接近社会的上层。第4节"正直和虔敬的秘密"中，马克思先引用了施里加的一段评述，然后指出"这些魔术般的钩子把思辨的论述之链的各个环节紧紧地连接在一起"。施里加使"秘密"离开罪犯世界进入上流社会以后，还必须构造另一个秘密，即上流社会有它的特殊集团，这些集团的秘密对人民来说是一种秘密。在施里加看来，教养、文明就等于贵族的教养。马克思指出，施里加看不到工业和商业正在建立另一种王国，它是不同于基督教和道德、家庭幸福和小市民福利所建立的包罗万象的王国。在此，施里加把基督教变成个人的特质，即"虔敬"，而把道德变成另一种个人的特质，即"正直"。因此，施里加的秘密其实不是国家中无法纪的秘密，也不是有教养的社会的秘密，而是抽象的秘密。在第6节中，马克思通过一个生动的例子来揭穿思维的滑稽戏。在第五章最后一节中，针对施里加将"巴黎的秘密"中的个人活动合成为一幅完整的"世界秩序"图画，马克思指出，施里加本人暴露了批判的秘密。施里加先是叙述了一些单个的秘密，这些秘密的价值在于它们自身组成许多环节的有机的连贯性，而这些环节的总和就是秘密，它并不是逻辑的、任何人都看得见的、自由的批判机体，而是一种神秘的存在。小说主人公鲁道夫的使命就是"揭露秘密"。随后，马克思在《神圣家族》的第八章中以鲁道夫的视角为切入点，揭示小说人物描写的非现实性。欧仁·苏在小说《巴黎的秘密》中所表现出来的创作上的唯灵论不仅是把理想人物鲁道夫当作自己主观精神的传声筒，而且扼杀了其他人物"固有的个性"，让他们服从他所宣扬的"以基督教的爱拯救世界"的宗教说教的需要。马克思通过对小说中玛丽花、"刺客""校长"三个人物被"批判改造"过程的分析，揭示了这一"秘密"。《神圣家族》的第八章题为"批判的批判之周游世界和变服微行，或盖罗尔施坦公爵鲁道夫所体现的批判的批判"，这个标题预示着鲁道夫在周游世界期间"赎补了双重的罪行"，一方面是他个人的罪行，即他在跟父亲争吵时向父亲挥动宝剑；另一方面是"批判的批判"的罪行，马克思指的是"批判的批判"在贬低群众时被罪恶的激情所控制，同时，鲍威尔及其伙伴在《文学总汇报》的文章中没有揭露任何一个秘密，而鲁道夫则通过他的特殊身份"偷听"

到很多秘密，并揭露了这一切秘密，因而也就赎补了这个罪过。施里加在他的文章中将鲁道夫视为"敢于无情地批判的人""人类国家的头等公仆""领会了纯批判的思想"的人，因而就是"一切秘密本身的被揭露了的秘密"。随后，马克思按照小说中主人公的活动，逐步揭示出这些"秘密"。思辨结构的秘密就是黑格尔哲学的秘密，只要厘清黑格尔哲学结构的要点，揭示出黑格尔与鲍威尔及其伙伴的相似之处，这些"秘密"就被揭示出来了。在马克思看来，"批判的批判"的主要秘密之一，就是用观点来评判观点，它的秘密在于黑格尔的《精神现象学》。黑格尔用"自我意识"来代替"人"，人表现为自我意识的一种特定形式，表现为自我意识的一种规定性。自我意识是单纯的"思想"，因此，能够在"纯粹"思维中扬弃并且通过纯粹思维克服这种"思想"。在黑格尔哲学中，人的自我意识的各种异化形式所具有的物质的、感性的、对象性的基础被置之不理，因此，黑格尔最后完全合乎逻辑地用"绝对知识"来代替全部人的现实，之所以用知识，是因为知识是自我意识的唯一存在方式，因为自我意识被看作人的唯一存在方式。马克思指出,"黑格尔把人变成自我意识的人,而不是把自我意识变成人的自我意识,变成现实的、因而是生活在现实的对象世界中并受这一世界制约的人的自我意识"①。在这个意义上,黑格尔把世界头足倒置,他也就能够在头脑中消灭一切界限。鲍威尔把"绝对知识"改名为"批判",把"自我意识"改名为"观点",仍然未能解决思维和存在的关系问题。"世界"既是实存的,又是一个范畴。意识和存在是不同的,世界作为范畴、作为观点的存在的时候,改变主观意识而并没有用真正对象性的方式改变对象性现实,这个世界仍然还像从前一样继续存在。因此,马克思说,"存在和思维的思辨的神秘的同一,在批判那里作为实践和理论的同样神秘的同一重复着"②。

第六章"绝对的批判的批判或布鲁诺先生所体现的批判的批判"中,马克思和恩格斯把矛头直接指向"神圣家族"的核心人物布鲁诺·鲍威尔,批判了思辨哲学的群众观和历史观,批判了思辨哲学家对群众的征讨,对犹太人问题、法国资产阶级革

---

① 《马克思恩格斯文集》第1卷,人民出版社2009年版,第357页。
② 《马克思恩格斯文集》第1卷,人民出版社2009年版,第358页。

命和法国唯物主义的发展进行了阐述。鲍威尔在对真理问题的阐述中引出了真理和群众的关系问题。马克思认为，鲍威尔发明了绝对的"一开始"和抽象的不变的"群众"，似乎16世纪群众的"一开始"和19世纪群众的"一开始"没有什么差别。对于"绝对的批判"来说，如果谈论上帝的辩证法，那么，"不言而喻的真理"就丧失了全部的精华、意义和价值。马克思极具讽刺意味地说："所以，绝对的批判一方面证明一切不言而喻的东西，此外，还证明许多幸而难于理解因而永远不会不言而喻的东西。另一方面，它又宣布凡是要引申和证明的东西都是不言而喻的。为什么呢？因为不言而喻，实际的任务不是某种不言而喻的东西"[①]。如果"真理"是脱离物质和群众的主体，不是面向经验的人，而是面向"心灵的深处"，就无法关注到居住在英国的地下室中的穷苦大众，或是法国库房的阁楼里的人，从而彻底丧失批判的现实性。"绝对的批判"打算用批判的历史取代群众的历史，似乎只有符合某种"思想"的理解才不是表面的理解。

---

① 《马克思恩格斯全集》第2卷，人民出版社1957年版，第102页。

马克思在此特别强调，被布鲁诺·鲍威尔称为"表面的"东西其实就是过去的全部历史，而历史上的活动和思想都是"群众"的思想和活动。那么，根据过去的、非批判的历史，群众对历史的目的"关怀"到什么程度，多少群众会有"热情"呢？在马克思看来，一方面，"'思想'一旦离开'利益'，就一定会使自己出丑"[①]；另一方面，历史承认的群众的"利益"在最初出现时，总是在"思想"或"观念"中远远地超出自己的实际界限，很容易使自己和全人类的利益混淆起来。在1789年的资产阶级革命中，利益压倒了一切，并获得了实际成效，这种利益强大有力，但本质上只停留在少数人的生活条件范围内。实际上，群众获得解放的现实条件和资产阶级借以解放自身和社会的那些条件是根本不同的，因为革命在本质上不超出其生活条件的范围的那部分群众，是并不包括全体居民在内的特殊的、有限的群众，革命的原则并不代表他们的实际利益，并不能引起群众的"关怀"，所以不成功。在马克思看来，"历史活动是群众的事业，随

---

① 《马克思恩格斯文集》第1卷，人民出版社2009年版，第286页。

着历史活动的深入，必将是群众队伍的扩大"。而布鲁诺·鲍威尔看到的历史是观念的历史，而不是行动着的群众的历史。马克思指出，仅仅在思想上解放是不行的，因为现实的、感性的、用任何观念都不能解脱的枷锁还套在群众的头上，布鲁诺·鲍威尔等从黑格尔的"精神现象学"中学会了抽象思辨的本领，即将现实的、客观的"枷锁"变成只是观念的或主观的"枷锁"，因而就把一切斗争变成了与观念的斗争。随后，布鲁诺·鲍威尔及其伙伴归纳出两个具有本质性的概念，即"精神"和"群众"，双方均是永恒不变的本质，而且相互对立。鲍威尔等人不去研究"精神"本身，不去研究精神的唯灵论本性，不去反思"精神"是否就是"空话""自我欺骗"的根源。恰恰相反，他们将精神看作绝对的，它的对立面就是群众。这样，"群众"就成为一个抽象的概念，没有具体内容的集合名词，它完全不同于实际的群众，真实存在的群众只是为了"批判"才作为"群众"存在。而在共产主义和社会主义的著作中，思辨哲学已经成为被批判的对象。以傅立叶为代表的空想社会主义者就已经意识到，文明世界存在根本的缺陷，"进步"仅仅是不能令人满意的抽象词句，因此，他们转而对现代社会的现实基础进行了无情的批判。在实践中，与社会主义和共产主义批判相适应的则是广大群众的运动，例如，英国和法国工人对科学的向往、对知识的渴望、他们的道德力量和他们对自己发展的不倦的要求，等等，都反映了共产主义运动中人的高尚性。与此相反，鲍威尔的思辨结果是，精神总是受到限制。从马克思的论述中可知，黑格尔哲学的"绝对精神"是一种完全抽象的形式，绝对精神的发展是自在的，人类仅仅是绝对精神的有意识或无意识的承担者，也就是群众。因此，黑格尔构造了思辨的历史，人类的历史本身也就变成了抽象的绝对精神的历史。在马克思看来，布鲁诺·鲍威尔比黑格尔在思辨的道路上走得更远，布鲁诺·鲍威尔一方面宣布"批判"是绝对精神，而他本人就代表着"批判"，批判并不是通过群众体现出来，而仅仅是通过少数杰出人物体现出来的，即鲍威尔一伙人；另一方面，鲍威尔有意识地在扮演世界精神的角色，故意发明历史和实现历史。总之"改造社会的事业被归结为批判的批判的大脑活动"。"同布鲁诺关于人权不是'天赋的'这种发现相比较（这种发现四十多年来在英国有过无数次），傅立叶关于捕鱼、打猎等等是天赋人权的论断，就应该说是天才的论断了。"这表明，人们通过劳动来获得满足自身生存需要的权利才是真正的天赋人权。因此，使人们丧失生产资料的使用权进而使得人们无法通过劳动来获得满足自身生存需要的下岗和失业就是对天赋人权的最大侵犯。在这里，马克思、恩格斯还提出，在《德法年鉴》中他们已经向思辨哲学家指出，"现代国家承认人权同古代国家承认奴隶制是一个意思。就是说，正如古代国家的自然基础是奴隶制一样，现代国家的自然基础是市民社会以及市民社会中的人，即仅仅通过私人利益和无意识的自然的必要性这一纽带同别人发生关系的独立的人，即自己营业的奴隶，自己以及别人的私欲的奴隶。现代国家就是通过普遍人权承认了自己的这种自然基础"。

第七章是"批判的批判的通讯"，在本章中马克思、恩格斯揭露了思辨哲学需要崇拜，以及神圣家族是如何从它的记者们那里受到它所应受的崇拜的。在第九章"批判的末日的审判"中，提到思辨哲学宣布世界的灭亡之后，马克思恩格斯在"历史的结语"中指出,灭亡的不是世界,而是代表思辨哲学的批判的"文学报"。

三、研究范式

《神圣家族》与马克思前后写作的其他著作关系十分密切,在马克思恩格斯思想发展史上占有重要地位。1927年,当《1844年经济学哲学手稿》的第三个笔记本在《马克思恩格斯文库》第3卷附录中摘要发表的时候被误认为是《神圣家族》的准备材料。[①]甚至在梁赞诺夫为《马克思恩格斯文库》第3卷所写的《导言》中,《手稿》与《神圣家族》就是被混在一起引用的。也有很多学者认为作于1845年的《关于费尔巴哈的提纲》是《神圣家族》的后续工作。[②]德国学者英格·陶伯特就认为《关于费尔巴哈的提纲》实际写于1845年7月初,是《神圣家族》的后续工作,甚至《德意志意识形态》的写作缘由也是为了回应鲍威尔对《神圣家

---

① 由梁赞诺夫主持编辑的《马克思恩格斯文库》第3卷中,将《1844年经济学哲学手稿》的第三个笔记本以《〈神圣家族〉的准备材料》为名收录。
② 姜海波:《马克思恩格斯〈神圣家族〉研究读本》,中央编译出版社2017年版,第73—74页。

族》的批判文章，起初并没有独立的、完整的写作计划。这样的文献定位和编辑方案也被 MEGA2 采用。① 自《神圣家族》发表以来，外界的评价就没有中断过，包括作者马克思、恩格斯本人。马克思在 1867 年给恩格斯的信中谈到这本书时说："我愉快而惊异地发现，对于这本书我们是问心无愧的，虽然对费尔巴哈的迷信现在给人造成一种非常滑稽的印象。"② 恩格斯也高度评价了该书在"新唯物主义"形成过程中的作用："对抽象的人的崇拜，即费尔巴哈新宗教的核心，必须由关于现实的人及其历史发展的科学来代替。这个超出费尔巴哈而进一步发展费尔巴哈观点的工作，是由马克思于 1845 年在《神圣家族》中开始的。"③ 但由于在《神圣家族》中能够感受到费尔巴哈人本主义的巨大影响和对费尔巴哈过高评价之处，因此，也有学者对《神圣家族》在马克思主义发展史上的地位评价不高，如梅林就认为从《神圣家族》的实际内容来看，"它完

---

① 张义修：《对 MEGA2 版〈德意志意识形态〉编辑方案的三个追问》，载《马克思主义哲学论丛》2017 年第 1 辑。
② 《马克思恩格斯全集》第 31 卷，人民出版社 1972 年版，第 293 页。
③ 《马克思恩格斯文集》第 4 卷，人民出版社 2009 年版，第 295 页。

全包括在马克思和恩格斯在该杂志(《德法年鉴》)中所划定的思想范围之内"[①]。蒙克也指出,"《神圣家族》不是伟大的、划时代的马克思主义著作"[②]。麦克莱伦也认为《神圣家族》只是一部论战性的作品,而不是建设性的作品,因此不包含任何马克思思想的系统呈现。[③] 学者们对《神圣家族》的定位有所分歧,主要形成了如下几种研究范式:

1. 苏联学者解读范式

1914 年列宁在《卡尔·马克思》一文的参考书目中提出的"两个转变"说长期占据学界主流,成为一种对马克思思想发展历程的解释范式。列宁写道:"1842 年,马克思在《莱茵报》(科隆)上发表了一些文章……从这些文章可以看出马克思开始从唯心主义转向唯物主义,从革命民主主义转向共产主义。1844 年在巴黎出版了马克思和阿尔

---

① [德]弗·梅林:《德国社会民主党史》第 1 卷,青载繁译,生活·读书·新知三联书店 1963 年版,第 196 页。
② [德]沃·蒙克:《〈神圣家族〉一书的成书与出版经过及影响》,载杨金海主编:《马克思主义研究资料(第 12 卷)》,中央编译出版社 2015 年版,第 279 页。
③ Marx Karl, David McLellan, "Karl Marx: selected writings", *Oxford University Press*, 2000, p.145.

诺德·卢格主编的《德法年鉴》,上述的转变在这里彻底完成。"①"彻底完成"的说法代表列宁认为1844年的马克思已经转变到辩证唯物主义和历史唯物主义以及科学社会主义的立场上来了。在"两个转变"完成这一论断的框架内,列宁在对《神圣家族》做完摘要后,认为马克思在《神圣家族》中有一个显著的转变,即"从黑格尔哲学转向社会主义",他摘录了《神圣家族》第四章的一大段话,从中"可以看出马克思已经掌握了什么以及他如何转到新的思想领域"②,因此《神圣家族》一书"奠定了革命唯物主义的社会主义的基础"③。在列宁看来,在合写《神圣家族》时的马克思和恩格斯已经站在无产阶级立场上,反对鲍威尔等人的非实践的观点,主张用革命的办法消灭私有制。更重要的是,马克思和恩格斯此时提出的思想已经非常接近唯物史观的核心概念——生产关系,从而为科学地把握社会历史规律奠定了重要基础。"因此,在一定意义上可以说,关于生产关系思想的形

---

① 《列宁全集》第26卷,人民出版社1988年版,第83页。
② 《列宁全集》第55卷,人民出版社1990年版,第6页。
③ 《列宁选集》第1卷,人民出版社1995年版,第92页。

成,是唯物史观形成的理论标志。"[1]列宁的论断影响了一大批苏联学者,苏联马克思恩格斯研究院(Marx-Engels Institute)主要创始人及负责人梁赞诺夫继承了列宁制定的马克思辩证唯物主义形成史框架,认为从《莱茵报》到《神圣家族》,马克思的新哲学正在稳步走向成熟。马克思是在从《德法年鉴》一直到《神圣家族》中完成了哲学的转向之后,才"投身于政治经济学的研究,以便澄清当代社会经济关系的机制"[2]。梁赞诺夫的继任者阿多拉茨基在MEGAI第一部分第3卷的导言中指出,《神圣家族》表现出马克思、恩格斯通过对社会中现实矛盾的深入研究和对现实政治的积极参与,发展并具体化了他们的唯物主义辩证法的方法,从空洞的抽象中解放出来,转向对资本主义的真实经济结构的深刻研究,开始了政治经济学的写作,马克思、恩格斯"以纯粹唯物主义的方式论证了无产阶级的

---

[1] 姜海波:《马克思恩格斯〈神圣家族〉研究读本》,中央编译出版社2017年版,第53页。
[2] 李亚熙:《苏联早期学者对〈1844年经济学哲学手稿〉的不同解读》,载《山东社会科学》2019年第4期。

世界历史任务"①,从而成功实现了向辩证唯物主义以及科学的社会主义的思想转变。卢森贝对列宁的观点进行了阐释,指出在《神圣家族》中"历史唯物主义学说尚未展开,但已经提供出这个学说的核心"②。斯捷潘诺娃在《马克思传略》中也认为《神圣家族》"奠定了新的、革命唯物主义世界观——无产阶级意识形态的基础",此时,马克思和恩格斯"关于无产阶级所负的世界历史使命和它的社会经济前提的观点已基本形成"③。随着苏联范式的逐渐固化,很多西方马克思主义者和西方"马克思学"学者认为,"在苏联斯大林主义的解释模式中,在'哲学的党性原则'基础上过分强调了唯物主义和唯心主义的对立,并将历史唯物主义看作辩证唯物主义世界观的应用",这是恩格斯和第二国际理论家们"受当时流行的实证主义和进化论思潮影

---

① [苏]V.阿多拉茨基:《神圣家族以及马克思1843年至1845年初的写作——MEGA1第一部分第三卷导言》,李乾坤译,载《山东社会科学》2019年第4期。
② [苏]卢森贝:《十九世纪四十年代马克思恩格斯经济学说发展概论》,方刚译,生活·读书·新知三联书店1958年版,第168页。
③ [苏]斯捷潘诺娃:《马克思传略》,关益等译,中国社会科学出版社1982年版,第24页。

响，在马克思唯物史观的阐释中过分强调了唯物主义的抽象方法论意义"①的结果。于是他们逐渐提出了新的研究范式。

2. 国外马克思主义学者解读范式

麦克莱伦在论述马克思的哲学遗产时指出，"1930年以后，许多马克思主义者异乎寻常地突出了人道主义与异化这两个概念，接着又就'青年'马克思与'老年'马克思谁是真的马克思的问题，展开了一场旷日持久的论战"②。这是由于在20世纪30年代初，一大批马克思早期著作出版，随即出现了与苏联范式截然对立的"人本主义"的阐释模式。卢卡奇作为"头一个重新复活马克思的人道主义的人"③，一方面强调以黑格尔的"主体性"取代费尔巴哈的唯物主义来理解马克思主义，另一方面又突出了人的实践活动对历史发展的重要作用。"由他开创的，意在凸现人的主体性的历史总体性

---

① 周嘉昕：《唯物主义概念的思想史考察》，载《南京大学学报》（哲学社会科学版）2016年第1期。
② ［英］戴维·麦克莱伦：《马克思以后的马克思主义》，李智译，中国人民大学出版社2017年版，第6页。
③ ［美］弗洛姆：《马克思论人》，陈世夫等译，陕西人民出版社1991年版，第207页。

逻辑，则为人本主义迅速成为西方马克思主义的主流思潮及其后来的片面发展奠定了基石。"①无独有偶，东欧的新马克思主义的阐释也将人置于马克思主义哲学的核心，认为"整个马克思主义是一个伟大的异化理论"②。因此，马克思在《1844年经济学哲学手稿》之后的著作都是在走下坡路。

阿尔都塞的观点与之相左，他认为人本主义的阐释方式事实上是以青年马克思的思想来统摄整个马克思哲学，而第二国际理论家是通过成熟的马克思主义观点回到青年马克思身上寻找端倪，二者看似相反，实则一致。而阿尔都塞断定，马克思的思想发展过程中，存在着一个"认识论断裂"。在1842年到1845年，马克思思想中占主导地位的是费尔巴哈的"社团的"人道主义，只是"从1845年起，马克思才同一切把历史和政治归结为人的本质的理论彻底决裂"，也就是说，"马克思只是对他青年时代（1840—1845）的理论基础——人的哲

---

① 张敏：《超越人本主义：马克思与费尔巴哈关系新论》，人民出版社2011年版，第35页。
② 衣俊卿：《人道主义批判理论》，中国人民大学出版社2005年版，第86页。

学——作了彻底的批判后,才达到了科学的历史理论"。在1845年《费尔巴哈的提纲》以前,马克思的整个学说都是以"人本主义"作为"总问题",还处在"意识形态"阶段,还不是科学的马克思主义阶段。阿尔都塞将马克思1844年写作的几部著作"比作黎明前黑暗",评价却不高,视为"离即将升起的太阳最远的著作"。①

在阿尔都塞这一范式的影响下,日本学者的研究成果主要呈现为两种不同的观点。在广松涉看来,"《神圣家族》中的马克思的哲学立场与《经哲手稿》的哲学立场基本没有什么不同。虽说如此,其中也包含着一些通往自我批评的超越的值得注意的发言"②。与之相反,山之内靖通过对马克思"市民社会"概念的分析指出,这种对市民社会做"非原子化"的集合的理解意味着马克思与《1844年经济学哲学手稿》的"异化劳动"部分的逻辑已经不再直接相连,这两部著作中存在着使马克思"市民

---

① [法]路易·阿尔都塞:《保卫马克思》,顾良译,商务印书馆2009年版,第16—19页。
② [日]广松涉:《唯物史观的原像》,邓习议译,南京大学出版社2009年版,第190页。

社会认识大幅度转换的结构性变化"。①

3. 中国学者解读范式

很多学者并不满意阿尔都塞这种"断裂"的说法,任何一种思想都有酝酿的过程,马克思的新世界观不是突发产生的,而是一个发展的过程。黄楠森认为,在《神圣家族》中,马克思和恩格斯通过对青年黑格尔派的理论进行清算,"深化了他们在《德法年鉴》时期和《1844年经济学哲学手稿》中所取得的理论成果,制定了正在形成中的科学世界观的一系列重要原则,进一步接近历史(辩证)唯物主义的科学体系……从而使他们对科学世界观的探索进入了由量变到质变的前夜"②。所以,黄楠森非常重视《神圣家族》在马克思恩格斯思想发展过程中的重要地位,《神圣家族》强调了现实的"粗糙的物质生产"在历史发展中的决定作用,这就进一步发展了在《1844年经济学哲学手稿》中关于生产劳动在历史发展上起支配作用的观点;而"通过

---

① [日]山之内靖:《受苦者的目光:早期马克思的复兴》,彭曦等译,北京师范大学出版社2011年版,第197页。
② 黄楠森等主编:《马克思主义哲学史》第1卷,北京出版社1991年版,第366页。

对人的'实物'本质的分析,提出了接近于生产关系的社会关系思想……向科学地回答社会意识和社会存在的关系问题迈进了一步"[1]。这意味着一个重大的转折,是从异化劳动理论到唯物史观的过渡。不过,黄楠森也指出,我们应当看到,马克思、恩格斯此时还没有完全摆脱费尔巴哈的人本主义,将自己的学说称为"真正的人道主义",存在着对费尔巴哈评价过高的问题,而这些不足是在《关于费尔巴哈的提纲》和《德意志意识形态》中才得到克服的。高放认为,随着阶级斗争的发展,原来的青年黑格尔派发生了分化,马克思和恩格斯脱离了青年黑格尔派,在这场论战中,马克思和恩格斯已经提出了一系列历史唯物主义和科学共产主义的原理,如"论证了共产主义是唯物主义哲学的逻辑结论;在历史发展中能够起决定作用的是物质生产,而不是鲍威尔等人所宣扬的'自我意识'……无产阶级的历史使命就是消灭资本主义雇佣劳动私有制,解放全人类;人民群众是历史的真正创造者"

---

[1] 黄楠森等主编:《马克思主义哲学史》第1卷,北京出版社1991年版,第366页。

等观点。①

而张一兵指认了在这一时期马克思的思想存在着两种逻辑,即从异化史观出发的人本主义逻辑和从客观现实出发的逻辑,构成一种矛盾结构,而马克思后来的思想是从前者向后者的转变,如果无法理解从人本主义逻辑向政治经济学逻辑的转变,就无法理解马克思思想的推进。张一兵认为,"人本学异化逻辑在这里仍然是主导性的制约构架。并且,这被认为是超越一切资产阶级政治经济学甚至蒲鲁东的理论制高点"。马克思必须解决消除唯心主义、消除自然唯物主义、批判资本主义三大理论难题才能使理论往前推进,而对这三个问题的解决源自对自身主导理论框架的自我否定和超越,表现为对费尔巴哈人本主义逻辑构架的直接否定,而只有进入后一条逻辑的马克思,才产生了科学的马克思主义。在《神圣家族》中,主要的理论框架还是费尔巴哈的人本主义逻辑,但是已经开始新的动态。这体现在:第一,马克思恩格斯开始越来越客观地考察现实的人;第二,他们越来越从现实的社

---

① 高放:《马克思主义人的解放科学第一次应运诞生》,载《中国延安干部学院学报》2013年第5期。

会历史基础和发展过程出发，从而使得原来那种人的主体本质异化和复归的总体逻辑越来越失去对理论的整体支配作用。但这仍然处于马克思、恩格斯哲学理论革命的前夜。[①] 不过，在对《神圣家族》理论阶段的断定上，孙伯鍨的看法略不同于张一兵，他认为，在《神圣家族》中，"马克思已经脱离了人本主义的异化史观，转而把物质生产即生产力的发展看作人类社会进步的基础和原动力"[②]。

四、焦点问题

1. 马克思、恩格斯与青年黑格尔派关系问题

第一，关于马克思、恩格斯与青年黑格尔派的理论分歧的内容问题。朱传棨把《神圣家族》的主要内容概括为三个问题："一、旧历史观的主要缺点；二、物质生产是历史的发源地；三、人民群众是历史的创造者。"[③] 这些观点是通过对青年黑格尔

---

① 张一兵：《马克思新唯物主义形成的理论基础新探——经济学研读语境中的〈神圣家族〉》，载《学术界》1998年第4期。
② 孙伯鍨、姚顺良编：《马克思主义哲学史》第2卷，北京出版社1991年版，第267页。
③ 朱传棨：《马克思恩格斯哲学思想比较研究》，河南人民出版社1995年版，第67页。

派的理论批判而阐明的。阿多拉茨基认为马克思与鲍威尔等青年黑格尔派的主要分歧在方法论,"在《神圣家族》中马克思和恩格斯与黑格尔主义的唯心主义作斗争。作为黑格尔追随者——他们组成了'批判的批判'——方法论上的主要缺陷,马克思指出了他们爱好于将一切都还原到精神的领域。'照批判的批判的意见,一切祸害都只在工人们的"思维"中。'(S.223)'绝对的批判从黑格尔的"现象学"中至少学会了一种技艺,这就是把现实、客观的、在我身外存在着的链条变成只是观念的、只是主观的、只是在我身内存在着的链条,因而也就把一切外部的感性的斗争都变成了纯粹观念的斗争。'(S.254)"。[①] 黄学胜指出,"思辨哲学总是把具体的现实变为观念的宾词,把精神或观念变为世界的主体和本质,而把历史变成精神的发展史。它探讨的只是精神的自我运动和发展,而把人也变成了自我意识,把纷繁复杂的人类现实变成了自我意识的特定形式,变成了只是自我意识的规定性;这种自我

[①] [苏]Ⅳ.阿多拉茨基:《神圣家族以及马克思1843年至1845年初的写作——MEGA1第一部分第三卷导言》,李乾坤译,载《山东社会科学》2019年第4期。

意识的规定性又不过是'纯粹的范畴',是赤裸裸的'思想'"。由此,现实的感性世界就变成了自我意识的纯粹规定性,人的自我异化的现实基础也就变成了通过精神的自我运动而实现的自我意识的外化和复归,现实世界的各种差别不过是自我意识制造的形而上学的区别。因此,马克思所要求的消灭人的异化及异化劳动,在鲍威尔等人看来只需要在观念上消除异化劳动的想法就可以了,通过观念的扬弃就可以超越现代社会。马克思揭穿了思辨唯心主义的根本性质和方法,实现了对思辨唯心主义的根本批判。[①] 日本学者城塚登指出,鲍威尔是从精神与群众对立的立场出发的,认为精神的真正敌人是群众,因而攻击了共产主义运动。而马克思一方面通过历史事实指出只有建立在实际利益基础之上的运动才能胜利,鲍威尔的主张才是革命运动不成功的原因。从而马克思进一步指出鲍威尔的观点是把黑格尔哲学的思辨更加彻底化,他"宣布'批判'是绝对精神,而鲍威尔自己就是'批判'……(只有批判)才能发明历史和创造历史"。这种"自

---

① 黄学胜:《〈神圣家族〉:马克思对"思辨唯心主义"的批判》,载《天府新论》2010年第2期。

我意识的立场不能与社会变化同步前进，它停留在过去的立场上，必然与群众为敌。可以说鲍威尔一伙的悲剧的原因也就在于此"[1]。刘秀萍、李清波也赞同这样的说法，认为鲍威尔等人对黑格尔哲学的片面"推进"和"发展"会导致他们形成比黑格尔远为专断的历史观，"批判哲学家"成为历史的唯一创造者，并且会把历史幻化为批判与群众的对立史。而他们对黑格尔哲学的批判过程是，先创造出一种观念，再创造出其对立面，"用想象的对立来代替现实的对立，就是想要超越于一切教条主义对立之上，凌驾于一切党派之上，总之是使自己超脱现实的束缚，变成神圣的精神，过上神圣的生活，拥有像上帝一样神圣的权利。只有这样，他才能实现自己所具有的世界历史的意义"[2]。

我们可以看到，马克思明确指出"布鲁诺·鲍威尔先生把'无限的自我意识'作为自己一切论断的基础"，"力图用自我意识的原则来铲除一切确

---

[1] ［日］城塚登：《青年马克思的思想——社会主义思想的创立》，尚晶晶等译校，求实出版社1988年版，第101—103页。
[2] 刘秀萍、李清波：《青年黑格尔派对黑格尔哲学的批判是在什么地方失足的？——〈神圣家族〉解读》，载《山东社会科学》2016年第9期。

定的和现存的东西"①，这种思辨哲学认为只有"批判哲学"才是对现实生活的超越，才是变革的引领者，而马克思并不赞同这一原则，他不认同思辨哲学凌驾于实践之上的作态，认为他们把群众看得过于渺小，而过分推崇思想的引领性。实际上，"思想从来也不能使我们超出旧世界秩序的范围……思想根本不能实现什么东西。为了实现思想，就要有使用实践力量的人"②。马克思在这里已经隐含了科学的实践观原则。

第二，关于马克思与鲍威尔的学术思想关系问题。《神圣家族》是针对鲍威尔及其伙伴的论战性著作，马克思与鲍威尔及青年黑格尔派经历了一个从亲密朋友到分道扬镳的过程。在波兰学者罗森看来，《神圣家族》中马克思对鲍威尔的态度与《论犹太人问题》时已经大相径庭，主要表现为两点："一是使用各种贬义的绰号；一是为了批判常常采取有选择地摘取鲍威尔概念的方法。"③这就导致我

---

① 《马克思恩格斯全集》第2卷，人民出版社1957年版，第48页。
② 《马克思恩格斯全集》第2卷，人民出版社1957年版，第152页。
③ ［波］兹维·罗森：《布鲁诺·鲍威尔和卡尔·马克思——鲍威尔对马克思思想的影响》，王谨等译，中国人民大学出版社1984年版，第2页。

们往往将鲍威尔视为糟糕的神学家、一个彻底脱离现实的思辨唯心主义者，而忽略了鲍威尔对马克思的真正影响。诺曼·莱文把《神圣家族》、"莱比锡宗教会议"、《哲学的贫困》视为同一个文本群，认为马克思在这几部著作中的主题是揭示鲍威尔兄弟、施蒂纳等人不过是延续了黑格尔的思辨哲学，从而反对黑格尔的思辨哲学。[①]日本学者山之内靖认为，《神圣家族》中马克思与鲍威尔分歧的关键点在于对市民社会的认识不同。在撰写《神圣家族》之前，确切地说是在《黑格尔法哲学批判》到《德法年鉴》之间，马克思和鲍威尔对市民社会的认识是共通的，都认为市民社会具有原子论的性质。而到了《神圣家族》中马克思就"坚决否认自我满足的各原子的集合这种市民社会的认识"，并且指出了市民社会具有主体的活动性和社会关联性。"在这种意义上来说，市民社会现在不应该作为非人类的事物而被全面否定，在非人类的归结的根底之中，实际上是基于对'人的本质特性'的发现的一种历史的构成。"这样的认识表明马克思已

---

① [美]诺曼·莱文：《马克思与黑格尔的对话》，周阳等译，中国人民大学出版社2015年版，第296页。

经超越了《1844年经济学哲学手稿》时的"异化逻辑"[①]。侯才指出,马克思认为鲍威尔自我意识哲学的"根本错误就在于把一切历史活动的产生都归于批判、精神,而把改造社会的事业归于批判的批判的大脑活动"[②]。

第三,马克思与费尔巴哈的关系问题,这个问题包含两个层面:一是马克思的思想中是否存在着一个"费尔巴哈阶段";二是费尔巴哈对马克思的真正影响是什么。对于前者,由于恩格斯的"我们一时都成为费尔巴哈派了"[③]的说法,不少学者认为马克思的思想中存在着一个"费尔巴哈阶段",阿尔都塞就认为,写作《神圣家族》时的马克思"就其理论原则而言,无非是费尔巴哈对黑格尔多次进行的杰出批判的重复、说明、发挥和引申。这是一次对黑格尔哲学的思辨和抽象所进行的批判,一次根据人本学的异化总问题的原则而进行的批判,一次需要从抽象和思辨转变到具体和物质的批判,一

---

① [日]山之内靖:《受苦者的目光:早期马克思的复兴》,彭曦等译,北京师范大学出版社2011年版,第196—197页。
② 侯才:《青年黑格尔派与马克思早期思想的发展》,中国社会科学出版社1994年版,第45页。
③ 《马克思恩格斯文集》第4卷,人民出版社2009年版,第275页。

次企图从唯心主义总问题得到解放，但依旧受这个总问题奴役的批判"①。麦克莱伦指出马克思在《神圣家族》中称自己的观点为"真正的人道主义"，这显然处于深受费尔巴哈影响的阶段中。②国内学者王金福也赞同这样的判断，认为从《神圣家族》中对费尔巴哈的崇拜话语来看，"说马克思思想发展中有一个费尔巴哈派阶段，应该说是实事求是的。否认马克思思想发展中有过费尔巴哈派阶段，就无法解释马克思对费尔巴哈的崇拜、信仰、迷信"③。也有为数甚多的学者不同意这样的定位，王东等指出，在1843年夏至1845年3月间，马克思"对于费尔巴哈哲学，一向是不迷信，不盲从，坚持批判地、有选择地吸收的态度"。马克思"在开始借鉴费尔巴哈的思想时，就几乎同时地意识到了后者的根本局限"④。张文煜认为，在《神圣家族》

---

① [法]路易·阿尔都塞：《保卫马克思》，顾良译，商务印书馆2009年版，第20页。
② Marx Karl, David McLellan, "Karl Marx: selected writings", *Oxford University Press*, 2000, p.146.
③ 王金福：《马克思与费尔巴哈关系中的两个事实》，载《哲学研究》1998年第11期。
④ 王东、林锋：《马克思哲学存在一个"费尔巴哈阶段"吗——"两次转变论"质疑》，载《学术月刊》2007年第4期。

中马克思批判青年黑格尔派"把人所固有的一切规定和表现都批判地改造成怪物和人类本质的自我异化"①，说明马克思已经开始对异化理论进行批判和改造。"实际上，马克思在写作《神圣家族》时已经远远超过费尔巴哈"②，只不过因为还没有找到新世界观的科学术语，才不得已沿用了费尔巴哈式的语词。

对于后一个问题，不同的学者关注的侧重点不同。陈先达认为，费尔巴哈对当时马克思的思想影响"比其他任何哲学家都要大，他为马克思提供了批判黑格尔的思想武器，加速了他向唯物主义的转化进程"。费尔巴哈在黑格尔与马克思之间搭起了一座"唯物主义"之桥。费尔巴哈通过主谓颠倒法恢复了唯物主义的权威，重新颠倒了被唯心主义颠倒的思维与存在的关系。③ 周嘉昕指出，"费尔巴哈只能算作是唯物主义的'同路人'"，因此唯物主

---

① 《马克思恩格斯全集》第2卷，人民出版社1957年版，第24页。
② 张文煜：《从异化理论向唯物史观的过渡》，载全国马克思主义哲学史研究会编《论马克思主义哲学的形成和发展》，河南人民出版社1983年版，第178页。
③ 陈先达、靳辉明：《马克思早期思想研究》，中国人民大学出版社2016年版，第90—91页。

义观点并不能算作费尔巴哈对马克思的真正影响，"准确地说，1843年至1845年间，费尔巴哈对马克思思想转变的影响是他的人本学理论，即强调感性的对象性存在的'人类'作为哲学的出发点，并以之批判黑格尔从抽象的、非存在的绝对精神出发的'逻辑的神秘主义'，以及仍然拘泥于黑格尔思辨体系的自我意识哲学"[①]。吴晓明认为费尔巴哈的思想对当时的马克思产生了巨大的影响，这种影响首先体现马克思把"现实的人"概念作为自己"立论的出发点和主题"，即"通过由感性对象性来规定主体、通过完整的和合乎人的本性的人这个理论要求"，马克思以"现实的人"取代了"自我意识"的哲学立场，"这是一次根本立场上的重大转变，按其性质而言却是应当被看作是哲学上之彻底改弦更张"[②]。日本学者山之内靖认为"《神圣家族》中的马克思从费尔巴哈那里接受了感性的立场和经验论——这才是费尔巴哈的哲学立脚点，在这一点

[①] 周嘉昕:《唯物主义概念的思想史考察》，载《南京大学学报》(哲学社会科学版) 2016年第1期。
[②] 吴晓明:《形而上学的没落：马克思与费尔巴哈关系的当代解读》，北京师范大学出版社2017年版，第445页。

上，不得不说比《德法年鉴》的时候更深地受到了费尔巴哈的影响"①。

第四，关于赫斯是否是青年马克思的思想坐标的争论。科尔纽就曾经指出赫斯的思想尤其是货币的观点对马克思"那种还是哲学政治的理解打下了坚实的社会经济基础"②。马克思与青年黑格尔派赫斯的关系问题在近年来得到了学者们的关注，这种重视主要源于日本马克思主义者对这一问题的讨论。广松涉认为，造成1844—1845年间马克思思想的"断裂"是由于马克思思想过渡过程的内在必然性的连续性和间断性都不够确定，因而不能成功地把马克思思想面貌作为一个有机整体加以构成，而过去的研究之所以没能填平这一裂缝，最大的原因就在于无视赫斯对马克思的压倒性影响。他认为在马克思主义的形成过程中法国社会主义几乎没有产生直接的影响，实际情况是"通过对黑格尔哲学的克服走向共产主义的"，而这一克服不只是以费

---

① [日]山之内靖：《受苦者的目光：早期马克思的复兴》，彭曦等译，北京师范大学出版社2011年版，第198页。
② [法]奥古尔特·科尔纽：《马克思恩格斯传》第1卷，刘丕坤等译，生活·读书·新知三联书店1963年版，第621页。

尔巴哈作为单线的中间环节，而是对青年黑格尔派三种潮流的综合和扬弃形成的，第一种潮流是施特劳斯、鲍威尔、费尔巴哈的宗教批判系列，第二种是由切实考夫斯基、赫斯的黑格尔历史哲学批判谱系，第三种是卢格的黑格尔法哲学批判谱系。广松涉认为马克思能从经济哲学的视角出发是因为受到了赫斯的影响。[①]日本学者良知力不认同广松涉的看法，他通过分析赫斯的唯物论立场、对经济社会的形而上学的看法、孤立的人类个体概念，认为马克思不可能沿着赫斯的路线把握现实的经济社会，赫斯不能作为早期马克思思想的坐标轴。[②]国内学者侯才也很早就分析了赫斯的影响，认为赫斯"把费尔巴哈的异化学说运用到社会生活中，运用于经济学的分析，把它引向了社会主义，从而成为青年马克思的思想先驱，费尔巴哈与马克思的思想

[①] [日]广松涉：《早期马克思像的批判的再构成》(1967)，邓习议译，载《赫斯精粹》附录，南京大学出版社2010年版，第207页。
[②] [日]良知力：《赫斯是青年马克思思想发展的坐标轴吗》(1969)，邓习议译，载《赫斯精粹》附录，南京大学出版社2010年版，第258页。

中介"①。张一兵和广松涉认同赫斯对马克思的重要影响，认为青年马克思是从赫斯这里接收了社会主义和共产主义，并且"由于当时的马克思没有研究经济学，所以他不可能独立形成经济异化的观点"，这一观点是受到赫斯经济异化思想影响而形成的，甚至青年马克思、恩格斯的错误即"走了否定劳动价值论的人本主义弯路"也来自赫斯的影响。但他认为广松涉的论断过于武断，广松涉对马克思的解读只停留在哲学逻辑层面上，而不能真正透视1844年之后马克思经济学研究中发生的重要逻辑话语转换问题。②

第五，马克思对蒲鲁东观点的分析和评价。麦克莱伦在英文版马克思恩格斯著作选集中节选了马克思批判埃德加·鲍威尔《蒲鲁东》的内容，认为这部分属于《神圣家族》中极为重要的文本内容，马克思称赞蒲鲁东是第一个质疑私有财产存在并证明了私有财产造成了违反人性的社会现实的思

---

① 侯才：《青年黑格尔派与马克思早期思想的发展》，中国社会科学出版社1994年版，第147页。
② 张一兵：《赫斯：一个马克思恩格斯的重要思想先行者和同路人》，载《社会批判理论纪事·第4辑》，江苏人民出版社2010年版，第8—10页。

想家，马克思由此推断出描述由人的自我异化所产生的财富和无产阶级的辩证对立。[1]刘秀萍指出马克思已经在埃德加·鲍威尔和蒲鲁东的基础上较为清晰地阐明了解决财产关系问题的基本点和思路，虽然与《资本论》相比尚属初步，但已经昭示了马克思政治经济学的研究方向和特征。思辨哲学对蒲鲁东的批判一方面没有学科根基而缺乏可靠性；另一方面借蒲鲁东的议题进一步阐发"观念至上论"，将蒲鲁东也视为神学的对象，因此对"财产关系"这一问题没有任何实质性的贡献。而蒲鲁东从总体上揭露了财产关系本身的非人性质，从而结束了国民经济学把私有财产关系当作合乎人性的和合理的关系，对国民经济学的既有理念进行了一定程度的解构。但是，蒲鲁东仍然只是从一般权利的视角考察私有财产，而没有把私有财产作为生产关系的总和来进行分析，因此终究未能超越国民经济学。而马克思以人的异化来揭示整体中对立的两方面——贫困和财产、无产阶级和资产阶级的矛盾运动，以及无产阶级能够而且必须自己解放自

---

[1] Marx Karl, David McLellan "Karl Marx: selected writings", *Oxford University Press*, 2000, p.145.

己的现实基础。"这样《神圣家族》就成了马克思的异化思想由'巴黎手稿'走向《德意志意识形态》以及《资本论》必不可少的中间环节。"[1]聂锦芳对《神圣家族》进行了文本学考察后认为,埃德加·鲍威尔用青年黑格尔派的观点曲解了蒲鲁东的《什么是财产?》,企图把蒲鲁东分析社会现象的理论统摄到绝对观念中,"即试图通过思辨来解决现实问题",马克思认为"这种述评脱离了具体的政治经济学领域,使其失去了原本内容丰富的社会性质和意义,从而也就不能真正解释诸如财产关系这些复杂的社会现象"。由此可以看出,在《神圣家族》中,马克思的异化劳动理论依据具有了很多现实的内容,"现实的雇佣劳动就成了无产阶级贫困和他们自己解放自己的基础,《神圣家族》成了马克思异化思想走向成熟的必不可少的衔接"[2]。黄楠森等指出正是由于马克思、恩格斯的思想此时"正处在一个逐渐走向成熟的阶段,加之他们这时也是

---

[1] 刘秀萍:《财产关系为什么会成为理解现代社会的"斯芬克斯之谜"?——重温〈神圣家族〉对〈蒲鲁东〉的分析和评判》,载《天津社会科学》2015年第6期。
[2] 聂锦芳:《一段思想因缘的结构——〈神圣家族〉的文本学解读》,载《学术研究》2007年第2期。

初次接触古典经济学,因而对于蒲鲁东的评价确有不尽准确之处。例如,认为蒲鲁东的《什么是所有权》'使政治经济学革命化了,并且第一次使政治经济学有可能成为真正的科学',并认为'从政治经济学观点出发对政治经济学进行批判时所能做的一切,他都已经做了'。这些批判显然过高估计了蒲鲁东对资产阶级政治经济学进行批判的意义。在马克思、恩格斯以后的著作中,他们对此做了实事求是的更正"①。卜祥记反对这样的看法,认为首先是"初次接触古典经济学"的论断不对,马克思在此前的《1844年经济学哲学手稿》的写作中已经研究了国民经济学代表人物的著作,对其观点确立了基本的批判态度。其次,他认为马克思在《神圣家族》中对蒲鲁东的评价是准确的,这不仅是《1844年经济学哲学手稿》国民经济学批判的理论延伸,也和"马克思后来对蒲鲁东的所谓'成熟'评价并无本质不同",只是侧重点不一样罢了。② 李彬彬也

---

① 黄楠森等主编:《马克思主义哲学史》第1卷,北京出版社1991年版,第516页。
② 卜祥记:《对〈神圣家族〉理论重要性的当代性解读》,载《上海行政学院学报》2007年第2期。

认为，在《神圣家族》中马克思不仅批判了埃德加尔，而且批判了蒲鲁东。虽然在《神圣家族》中马克思赞赏了蒲鲁东在政治经济学的范围内对所有权和私有财产的批判，称《什么是所有权》是"法国无产阶级的科学宣言"，但是《神圣家族》和《什么是所有权》的关系并没有那么简单。"马克思一方面承认蒲鲁东把在政治经济学的范围内能够对政治经济学所作的批判都做了，另一方面也指出了蒲鲁东的批判并没有真正颠覆私有制。"首先，蒲鲁东不是通过对政治经济学的深入研究来反驳所有权的，只是通过平等这个观念反对所有权，也带有德国思辨哲学的色彩。其次，蒲鲁东对私有财产的起源的解释只是一种服务于自己论证过程的实用性说明，没有太深刻的理论依据。最后，蒲鲁东对所有权的批判没有超出国民经济学的范畴，对于未来理想社会的构想，蒲鲁东仍然以国民经济学的占有形式来理解对象世界的重新获得，他追求的"平等的占有"观念本身是异化的，在蒲鲁东设想的未来社会只能变成一个大的资本家，其中所有权反倒被保存下来。而在《神圣家族》中马克思已经论述了无产阶级的社会地位、历史使命和阶级意识，明确了社会变革的主体力量，社会的平等只有在无产阶级的斗争中才能找到真正的出路。①

2. 对"抽象的人"学说批判与"现实的人道主义"问题

第一，关于对"抽象的人"学说批判的起点问题。《神圣家族》一书写作的目的是对以鲍威尔为首的青年黑格尔派的思辨唯心主义的批判，这从书的标题就可以看出，即"对批判的批判所做的批判"，其中"批判的批判"就是指鲍威尔等人的思辨唯心主义哲学，但是马克思在《神圣家族》一文中却还明显受到费尔巴哈学说的影响。根据恩格斯晚年在《路德维希·费尔巴哈和德国古典哲学的终结》(本篇简称《费尔巴哈论》)一书中所说："对抽象的人的崇拜，即费尔巴哈新宗教的核心，必须由关于现实的人及其历史发展的科学来代替。这个超出费尔巴哈而进一步发展费尔巴哈观点的工作，是由马克思在《神圣家族》中开始的。"②围绕恩格斯的这一说法，学界的理解具有明显的分歧。

---

① 李彬彬：《社会平等及其实现的路径——重读〈神圣家族〉对埃德加尔和蒲鲁东的批判》，载《社会科学辑刊》2016年第2期。
② 《马克思恩格斯文集》第4卷，人民出版社2009年版，第295页。

以俞吾金为代表的部分学者不认同恩格斯的这个说法，认为这个说法具有明显的错误。他在《马克思究竟从何时何处开始批判"抽象的人"的学说——从恩格斯记忆上的一个纰漏说起》一文中提出，恩格斯所说的马克思是在《神圣家族》一书中开始批判费尔巴哈"对抽象的人的崇拜"是恩格斯记忆上的一个错误。他认为"《神圣家族》中马克思对费尔巴哈的唯物主义和人的学说基本上是认同的，直到《关于费尔巴哈的提纲》开始，马克思才对费尔巴哈关于人的学说进行全面的、深刻的批判"[1]。因此，他始终认为恩格斯在《费尔巴哈论》中的那段话与历史事实是有出入的。安启念也认为"奇怪的是《神圣家族》中不但没有提出实践的观点，而且到处都可以见到对费尔巴哈的高度评价甚至推崇"[2]，因此并不能以《神圣家族》作为"抽象的人"学说批判的起点，恩格斯的这一说法有失偏颇。

---

[1] 俞吾金：《马克思究竟从何时何处开始批判"抽象的人"的学说——从恩格斯记忆上的一个纰漏说起》，载《教学与研究》2003年第5期。
[2] 安启念：《超越人本主义：马克思与费尔巴哈关系新论》序言，人民出版社2011年版，第5页。

而赵家祥等学者则认同恩格斯的这一评价，认为恩格斯的讲法完全符合马哲史的事实，相反，应该是俞吾金等人的观点是对恩格斯这段话的误解。赵家祥认为，恩格斯这里"是说马克思在《神圣家族》中开始批判思辨唯心主义的'抽象的人'的学说，而不是费尔巴哈的'抽象的人'的学说"[1]。即马克思当时批判的对象并不是费尔巴哈的关于"抽象的人"的观点，而是黑格尔以及以布鲁诺·鲍威尔为代表的青年黑格尔派的关于"抽象的人"的观点。并且，"开始"这两个字说得非常恰如其分。它一方面意味着刚刚起步，尚需继续前进；另一方面意味着为继续前进做好了准备，打下了基础。

如何来理解这个争论可能还得回到文本中去，从恩格斯在1886年撰写的《费尔巴哈论》的文本来看，以"关于现实的人及其历史发展的科学"来代替"对抽象的人的崇拜"，确实不能推导出说马克思在《神圣家族》中开始批判费尔巴哈关于"抽象的人"的学说。对于马克思、恩格斯当时思想发展的水平，恩格斯应当是十分清楚的，恩格斯在

---

[1] 赵家祥：《〈1844年经济学哲学手稿〉和〈神圣家族〉中的生产关系思想》，载《教学与研究》2011年第7期。

《费尔巴哈论》中详细阐述了当时他们对费尔巴哈的迷信:"那时大家都很兴奋:我们一时都成为费尔巴哈派了。马克思曾经怎样热烈地欢迎这种新观点,而这种新观点又是如何强烈地影响了他(尽管还有种种批判性的保留意见),这可以从《神圣家族》中看出来。"[1]毫无疑问,《神圣家族》中确实是批判了"抽象的人"的观点,但这里"抽象的人"的观点到底指谁的观点,从《神圣家族》中我们可以找到一些文本依据,马克思、恩格斯指出:"思辨哲学家在其他一切场合谈到人的时候,指的都不是具体的东西,而是抽象的东西,即理念、精神等。"[2]"黑格尔把人变成自我意识的人,而不是把自我意识变成人的自我意识,变成现实的人即生活在现实的实物世界中并受这一世界制约的人的自我意识。"[3]从这些叙述中,我们可以很明显地看到马克思、恩格斯所批判的"抽象的人"指的是以鲍威尔为首的青年黑格尔派的思辨唯心主义,即用"自我意识"来代替生活在物质世界中"现实的人"。虽

---

[1]《马克思恩格斯文集》第4卷,人民出版社2009年版,第275页。
[2]《马克思恩格斯全集》第2卷,人民出版社1957年版,第49页。
[3]《马克思恩格斯全集》第2卷,人民出版社1957年版,第245页。

然费尔巴哈的哲学中的人也是"抽象的人",但他对人的抽象不同于青年黑格尔派,不是把人的本质归结为"精神",而是归结为"类",归结为人的自然属性,因而也不是"现实的人"。所以,虽然马克思、恩格斯还没有明确地意识到自己的哲学与费尔巴哈哲学的根本区别,但在《神圣家族》中马克思用以批判青年黑格尔派"抽象的人"学说的时候,已经在事实上超越费尔巴哈了。

第二,对"抽象的人"学说批判所体现出来的哲学本体论立场转变问题。针对马克思、恩格斯在《神圣家族》中以"现实的人"批判青年黑格尔派"抽象的人"的学说,复旦大学的吴晓明教授从本体论革命的角度指出了马克思在《神圣家族》中的本体论上的改弦更张,即《神圣家族》清楚地表明,马克思在"现实的人"的立场上,彻底清除了有关"自我意识"的各种幻想。马克思对青年黑格尔派的一次又一次批判,是因为由"物质利益难题"引发的本体论的严重危机。马克思在《博士论义》时期是站在"自我意识"立场上的,这一立场在本体论上是接近于鲍威尔的,他们都把黑格尔所恢复的关于上帝存在的本体论证明看作对自我意识本身的证明,"人""自由""自我意识"三个概念本质上是同一的,但是黑格尔哲学在本体论基础上构筑起的"现实的理念"或"具体的理念"对马克思的思想进程来说是本质重要的,黑格尔的实体和自我意识的统一、思维和存在的统一原则使得他对"自我意识"哲学的理解有别于鲍威尔,而更接近于费希特的"自我意识"哲学,因此从一开始马克思和青年黑格尔派就埋下了分歧的种子。到了《莱茵报》时期,马克思所开展的社会政治批判,至少在哲学立场上,是此前的批判原则(主要体现在"自我意识"概念中)和现实性要求(主要体现在特殊地保持黑格尔"思有同一"原则)之合乎逻辑的发展,这种结合使得马克思与鲍威尔在之前的隐蔽差别大大发展起来,很快导致了他们的公开决裂。而"物质利益难题"向马克思的哲学立场——其本体论依据是单纯理性——提出了挑战,鲍威尔的自我意识立场不会面临这一矛盾,因为其立场本身已经排除了"物质利益"问题,黑格尔的绝对精神立场也不会面临这一矛盾,因为其立场把物质利益的对立、市民社会的分裂归入了"理念自身的同一"。马克思若要解决这一本体论危机必须实现与黑格尔哲学的决裂。费尔巴哈对马克思的重要影响此时体现出来了，就是在"现实的人"的基础上来重建思维与存在的统一，即通过由感性现实性来规定主体，通过完整的和合乎人的本性的人这一本体论要求而达成的。在《德法年鉴》时期马克思对黑格尔哲学和青年黑格尔派展开激烈的批评就是出于跟费尔巴哈一致的人本唯物主义本体论，认为黑格尔哲学完成的是"逻辑的泛神论的神秘主义"，在本体论上理念在自己的生存过程中从自身分离出来。在这一时期马克思对自我意识立场及其实体化的形而上学批判还处于一个过程中，直到《神圣家族》这种本体论上的改弦更张才得到了明确的阐释。马克思把费尔巴哈称作"从黑格尔的观点出发而结束了黑格尔哲学的唯一思想家"，因为费尔巴哈把形而上学的绝对精神在本体论上归结为"以自然为基础的现实的人"，从而完成了对宗教的批判。马克思通过费尔巴哈取得了他先前所缺失的思有同一原则的概念形式，摆脱了单纯理性的哲学世界观，和先前的自我意识哲学在本体论高度上实现了彻底决裂，对以鲍威尔为代表的自我意识哲学实施了全面的批判。①

第三，对"现实的人道主义"的理解问题。韩蒙将"现实人道主义"视作一个过渡性的概念，认为该概念的首要特征就在于对象化思想已经不再只是人的本质力量的外在表现了，通过与法国唯物主义的连接与对黑格尔思辨哲学的批判，马克思已经将对象化理论无意识地转化为从社会历史出发的唯物主义理论。这种理论成果最明显地表现为马克思对抽象的"人"的否弃，"异化"的退席和对社会主义原则的具体化。但是与此同时，在《神圣家族》中几乎随处可见马克思使用"人性"与"非人性""合乎人性"与"违反人性"的对立来彰显其批判力，这证明了此时马克思仍然处于人本主义框架内。②唐正东则十分重视"现实人道主义"的意义，他认为，体现在《神圣家族》中的现实人道主义思路不同于《手稿》中体现的异化人道主义道路，"现实的人道主义"开启了从人的行动或实践

---

① 吴晓明、陈立新：《马克思主义本体论研究》，北京师范大学出版社2012年版，第149—159页。
② 韩蒙：《社会主义语境中的哲学探索——〈神圣家族〉的创作、主题与逻辑》，载《山东社会科学》2016年第2期。

的发生学角度来阐释人类发展的新思路,是充分吸收了法国大革命历史观意义后的结果。法国大革命在文化维度上的真正意义在于使人们认识到他们可以用自己的行动来为政治秩序构建一种新的规则,这在认识论上所构建的是人的行动与社会世界的可理解性之间的关联。正因为如此,只有现实人道主义,而不是异化式人道主义,才是能够跟从人的行动的角度来理解社会世界的观点相对接的一种解读思路,这是一种从经验历史的角度来理解规范之实现的新思路。尽管此时马克思的政治经济学研究相对滞后,还无法与《德意志意识形态》中的历史唯物主义思路相媲美,但《神圣家族》中所开启的基于人的实践的历史发生学视角,不仅使基于类本质的异化式思路成为马克思哲学发展中的过去了的事件,而且它本身对于马克思形成历史唯物主义思路也有重要的奠基作用。[1] 蔡玲指出,理解马克思此时的人道主义思想不在于一味地肯定或者否定,而在于具体探究马克思主义人道主义思想不同维度的意涵,她指出了《神圣家族》中现实人道主义的三

---

[1] 唐正东:《青年马克思的"现实人道主义"概念为什么很重要?》,载《南京政治学院学报》2012年第1期。

重维度：第一，马克思主要在第四章"蒲鲁东"一节中以现实人道主义为基础对政治经济学前提进行了批判，但是马克思此时所推论的私有制在自身运动中走向灭亡的必然性还不是生产力和生产关系的矛盾运动意义上的客观规律，人性和非人性的对立仍是马克思揭示经济关系、推论私有制必然灭亡的主导思维逻辑。第二，马克思以现实人道主义为原则对思辨唯心主义哲学进行清算，揭露了黑格尔思辨哲学的一般秘密，批判了鲍威尔的自我意识哲学，"费尔巴哈的'现实的人'的理论原则为马克思此时全面清算思辨唯心主义哲学带来巨大推动力"。第三，马克思以现实人道主义为依据对共产主义理论基础进行勘察，他反驳了鲍威尔对法国启蒙思想与大革命的评论，并且开始自觉清理唯物主义和共产主义的关系，廓清了共产主义时间的理论基地。虽然此时马克思的现实人道主义与费尔巴哈不具有原则性区别，但由于这三个维度的具体化，马克思展现出了人的现实性的自然维度以外的政治经济维度内涵，使得他在《关于费尔巴哈的提纲》《德意志意识形态》及之后顺利完成了对"现实的人"的概念的改造。①广松涉从市民社会的视角指出了"现实的人道主义"立场的意义,他认为《神圣家族》意味着马克思已经基本扬弃了直到《1844年经济学哲学手稿》尚未肃清的"从市民社会到国家"这一图式,并设想了"社会革命",这与《论犹太人问题》相比已经表现出了质的不同和飞跃。此时,马克思已经达到了"资产阶级和无产阶级同是人的自我异化"的理解,由此主张从无产阶级的阶级立场出发的自我解放只有通过扬弃"人的自我异化"本身实现,明确了无产阶级的自我解放和人类解放的关系。《神圣家族》"以自然和精神的如实统一的费尔巴哈的'人'为基础",采取了"唯心论和唯物论的统一"的"现实的人道主义"立场,只有从这一立场出发,他们才能揭露黑格尔和青年黑格尔派的"思辨结构秘密"。这就超越了《手稿》中的主体概念和自我异化逻辑。②

---

① 蔡玲:《现实人道主义的三重维度:〈神圣家族〉思想解读》,载《江汉论坛》2018年第4期。
② [日]广松涉:《唯物史观的原像》,邓习议译,南京大学出版社2009年版,第190—191页。

3. 对"思辨结构的秘密"的揭露

马克思在《神圣家族》第五章第二节揭露了"思辨结构的秘密",马克思明白青年黑格尔派的认识论根源在于黑格尔哲学,只要揭示思辨哲学自身的秘密,也就是在认识论上寻求对一般和个别的关系的正确解释,无疑有釜底抽薪之效。马克思举例具体的水果(如苹果、梨、草莓和扁桃等)与"果实"这个一般概念的真实关系,人们是从各种现实具体的水果中得到"果实"这一抽象概念,但在思辨哲学中,实质上是"果实"这个一般概念决定着苹果、梨、草莓和扁桃等具体水果,各种水果的具体形态是非本质的,因而无关紧要,只有观念中的"果实"才是本质,能够规定现实的各种水果。马克思指出,"用这种方法是得不到内容特别丰富的规定的"[1]。这种认识方式事实上是混淆了从特殊到一般的认识过程和现实的从一般到特殊的生产过程。梁赞诺夫在《马克思恩格斯文库》俄文版第3卷的一篇题为《从〈莱茵报〉到〈神圣家族〉——马克思未发表的手稿》的长篇导论中回顾了马克思

---

[1]《马克思恩格斯全集》第1卷,人民出版社2009年版,第277页。

从《莱茵报》时期批判黑格尔法哲学到1844年为写作《神圣家族》做理论准备的实践经历和探索过程。其中在第九部分"我们该如何对待黑格尔的辩证法?"中介绍了马克思对黑格尔辩证法的批判,该部分一开头就引用了《神圣家族》中有关思辨哲学秘密的讨论,随后这一部分指出,这些"表明我们出版的这些材料,正是那些为批判思辨哲学的'神圣家族'","这些内容是马克思对黑格尔批判的极其重要的补充"。这一部分的最后,还有一个非常有趣的类比:"圣西门与傅立叶、蒲鲁东的关系,类似于黑格尔与费尔巴哈之间的关系。与黑格尔相比,费尔巴哈是贫乏的。"然而,费尔巴哈在黑格尔之后发动了一场变革,为成功"批判黑格尔的神秘主义(上半身)"起到了解放作用。[①]

陈先达认为,马克思的分析揭露了思辨哲学的"认识根源在于无限地夸大了认识过程的一个环节,歪曲了认识发展的真实过程,从而进一步暴露了思辨唯心主义在理论上的荒谬性"。他们一方面把理

---

① 周嘉昕:《从"〈神圣家族〉的准备材料"到〈1844年经济学哲学手稿〉——兼论梁赞诺夫对辩证唯物主义的理论贡献》,载《马克思主义与现实》2019年第1期。

论认识绝对化，一方面又把从一般到具体的认识过程歪曲为创造具体事物的过程，"这种'活生生的统一体'，把单个的果实都消溶于自身，又从自身生出各种果实"，这就是思辨哲学的构造方法。① 黄楠森等认为马克思对于"思辨结构的秘密"的揭示的意义在于不仅指出了青年黑格尔派的哲学实质，揭露了它的理论来源，还更进一步分析了它的认识论根源——黑格尔哲学。黑格尔哲学通过"绝对精神"来取代人类的全部显示，把世界头足颠倒，而鲍威尔等人不过是将其称为"批判"。马克思、恩格斯通过分析"果实"的概念，剖析了人们的认识从特殊到一般的过程，黑格尔思辨哲学的秘密就在于首先从个别中抽象出一般，再颠倒个别与一般的关系，并使之实体化，再从一般中重新创造个别的事物。马克思和恩格斯指明思辨哲学"在认识论上的根源就在于颠倒个别和一般的关系，论述了个别和一般的辩证法，从而在更深的层次上批判了鲍威尔一伙的'批判哲学'，加深了对哲学基本问题的

---

① 陈先达、靳辉明：《马克思早期思想研究》，中国人民大学出版社2016年版，第125—126页。

唯物主义理解。"①张一兵提出马克思在《神圣家族》之前已经对黑格尔哲学进行两次批判,这一次对"思辨结构的秘密"的批判转换了视角,"借用了法国唯物主义的一般前提,同时也是费尔巴哈的颠倒原则的基础","这意味着马克思以为超越人本学本体论、在一个新的基础上重新去理解黑格尔哲学"。但是从认识论角度出发,费尔巴哈、法国唯物主义、古典政治经济学都无法给马克思提供批判改造黑格尔哲学的工具,而只有将"历史"的视角作为立论的基础才能做到。②

4. 社会主义与唯物主义关系问题

马克思在《神圣家族》一文中提出,法国的唯物主义有两个派别:一派起源于笛卡尔,另一派起源于洛克。"笛卡尔的唯物主义成为真正的自然科学的财产,而法国唯物主义的另一派则直接成为社会主义和共产主义的财产。"笛卡尔是近代唯物论的开拓者,是17世纪的欧洲哲学界和科学界最有影响的

---

① 黄楠森主编:《马克思主义哲学史》第1卷,北京出版社1991年版,第371页。
② 张一兵主编:《马克思哲学的历史原像》,人民出版社2009年版,第199—200页。

巨匠之一；而洛克则是近代经验论的重要奠基人，建立了系统的经验论认识体系。对于如何理解马克思所说的唯物主义和共产主义的关系，即马克思为什么认为洛克的唯物主义是社会主义和共产主义的财产，学界的观点主要分为两派，其中张一兵等人对马克思的这一分析持怀疑态度，认为"马克思在这里还没有科学地区分不同种类的唯物主义，他的这种以人本主义逻辑尺度界划出的唯物主义派别实际上是存在问题的"。他认为，马克思此时的思想中包含着不同层面的两种唯物主义：第一种是存在于政治经济学中的社会唯物主义，第二种是自然唯物主义，其中又区分为始于培根的经验论的唯物主义和发端于笛卡尔的理性唯物主义。张一兵认为，马克思在这里的分析正好颠倒了，在他看来，无论是法国的有人学倾向的唯物主义还是费尔巴哈的人本主义都不是建立在经验论的唯物主义基础之上，而恰好相反，都是天赋人权的人类理性主义的逻辑演绎。因而，他认为马克思还没有科学地区分自然唯物主义、人本学唯物主义与社会唯物主义。[①]

---

① 张一兵:《自然唯物主义、人本学唯物主义与社会唯物主义——〈神圣家族〉的哲学解读》，载《长白学刊》1998年第4期。

杨耕则持相反的观点，他基本认同马克思的这一判断，认为这是符合历史现实的，也是科学的。马克思所说的法国唯物主义的两大源头分别是笛卡尔和洛克，笛卡尔这条线索主要从物理学来理解人和解释历史，自霍布斯起，唯物主义变得越来越敌视人，再到法国的霍尔巴赫、拉美特利则进一步发展了机械唯物主义的理论，提出"人是机器"。在这一条路径之下，人和人的主体性都不见了；另一方面，笛卡尔把反封建的斗争限制在思想范围内，"显然，这种观点和作为法国政治变革先导的唯物主义哲学是很难相容的"。另外一条线索是从洛克那里开始，他从人类认识的起源入手，以经验论的视角来解释人的认识问题，提出了人类认识的"白板说"，涉及人和物的关系问题，人的感觉、认识起源问题。孔迪亚克、爱尔维修等人沿着这个理论继续探讨人和自然、人和环境的关系问题。从这一条路径出发"可以得出改造环境、变革社会的结论，洛克的唯物主义经验论因此可以作为法国革命的哲学基础"。这种唯物主义先是导向空想社会主义，再到后来导向科学社会主义。因此，并不是任何一种唯物主义都能够成为社会主义的理论基础，只有后一种唯物主义才能,而机械唯物主义却无论如何都不能推导出社会主义。在法国唯物主义里,马克思反对那种敌视人的唯物主义,而赞成那种亲近人、关注人和自然关系的唯物主义。后来马克思通过批判继承黑格尔的辩证法并高扬人的主体性,创立了历史唯物主义,即"思辨本身的活动所完善化并和人道主义相吻合的唯物主义","这实际上是《神圣家族》对新的哲学形态的基本规定"。[①] 李淑梅等从经验和超验两条哲学进路的差异出发,认为马克思指出的法国唯物主义与19世纪初的法国和英国社会主义学说都是立足于社会的经验事实的。实际上,近代唯物主义尊重经验事实的基本立场和方法潜在地蕴含着社会主义的倾向,因此,社会主义学说离不开唯物主义的哲学基础。从感觉经验出发的唯物主义,当它在特定社会背景下将着眼点放在对现存社会生活的观察和分析上时,就能够在一定程度上暴露社会的阴暗面,形成社会方面的唯物主义,法国社会方面的唯物主义通过对人的需要、利益、社会环境、教育等方面问题的探讨,在一定

---

① 杨耕:《重新审视唯物主义的历史形态和历史唯物主义的理论空间——重读〈神圣家族〉》,载《学术研究》2001年第1期。

程度上描述了社会的不公正现象，批判了不合理的社会制度。[①] 刘化军认为马克思在分析了法国唯物主义发展的两个主要派别和理论来源的基础上论证了唯物主义和共产主义的关系，阐明了社会主义和共产主义的理论基础是唯物史观，以及18世纪的唯物主义和19世纪英国、法国的共产主义之间的密切关联。马克思和恩格斯明确指出科学社会主义是建立在历史唯物主义的客观规律之上的，从而为无产阶级和广大劳动人民群众实现共产主义找到了理论支撑。[②]

在这里我们要如何理解马克思的论断？马克思在做出上述判断之后用了"五个既然"来谈论他所理解的唯物主义，他说："既然人是从感性世界和感性世界中的经验中汲取自己的一切知识、感觉等，那就必须这样安排周围的世界，使人在其中能认识和领会真正合乎人性的东西，使他能认识到自己是人。既然正确理解的利益是整个道德的基

[①] 李淑梅、陶红茹：《经验和超验：两种哲学进路社会政治旨趣的差异——对〈神圣家族〉的解读》，载《山东社会科学》2013年第2期。
[②] 刘化军：《〈神圣家族〉中的科学社会主义思想》，载《学术探索》2013年第6期。

础，那就必须使个别人的私人利益符合于全人类的利益。既然从唯物主义意义上来说人是不自由的，就是说，既然人不是由于有逃避某种事物的消极力量，而是由于有表现本身的真正个性的积极力量才得到自由，那就不应当惩罚个别人的犯罪行为，而应当消灭犯罪行为的反社会的根源，并使每个人都有必要的社会活动场所来显露他的重要的生命力。既然人的性格是由环境造成的，那就必须使环境成为合乎人性的环境。既然人天生就是社会的生物，那他就只有在社会中才能发展自己的真正的天性，而对于他的天性的力量的判断，也不应当以单个个人的力量为准绳，而应当以整个社会的力量为准绳。"[1]这段话所表达的核心思想是人和外部世界的关系问题，特别强调对人的重视，而科学社会主义必然是建立在唯物主义的基础之上的，社会主义和共产主义的根本目的和价值指向是人的发展，所以为社会主义提供基础的唯物主义必然是关注人而不是敌视人的社会主义。而从笛卡尔传统发展起来的唯物主义最终走向了机械唯物主义，变成了敌视

---

[1] 《马克思恩格斯全集》第2卷，人民出版社1957年版，第166—167页。

人的唯物主义，这从根本上来说是和社会主义背道而驰的，因此不可能成为社会主义的基础。

刘秀萍说明了青年黑格尔派为何会错误解释唯物主义史，布鲁诺·鲍威尔"没有像马克思一样进行完整的源流梳理和派别辨析，而是离开唯物主义发展史的过程和环节，单独突出了斯宾诺莎在其中的地位"。认为法国唯物主义是斯宾诺莎"实体观"的实现，法国大革命的失败则意味着法国唯物主义的终结。马克思指出鲍威尔不顾法国哲学发展的真实历史，而去黑格尔著作中寻找思辨哲学的答案，但对于黑格尔关于斯宾诺莎的阐释又没有准确领会，只是根据自己的需要断章取义、任意编排，最后同样误解了黑格尔。鲍威尔的自我意识哲学只能是主观的"创世说"。他把黑格尔关于自我意识外化、扬弃外化回到自身的运动过程照搬过来，同时又把黑格尔"自我意识设定物性"秘密地改变为自我意识创造物质世界，从而走向了纯粹的唯心主义。这才是青年黑格尔派的思辨哲学不可能完成对唯物主义批判的真正原因。马克思通过对唯物主义史的研究和清理，逐步明确了对哲学的"新理解"，构建起"以与现实的人的思维和感觉联系在一起的、以物质为出发点的'新唯物主义'",这种新唯物主义"是一种'与人道主义相吻合的''现实人道主义',它既是对唯心主义、观念论思维方式的超越,也是对'漠视人'的'机械论'唯物主义的变革"①。

5. 关于唯物史观基本原理的阐述

唯物史观是马克思主义的两大理论基石之一。从《〈黑格尔法哲学批判〉导言》开始,马克思、恩格斯就开始阐述无产阶级的历史作用和历史使命的问题,而《神圣家族》则进一步论证了无产阶级历史使命。唯物史观涉及多方面的内容,包括群众观,生产力与生产关系的观点,经济基础与上层建筑的观点,等等。梁赞诺夫在其1927年的著作《卡尔·马克思与弗里德里希·恩格斯:生平及著作简介》中强调,在当时诸多著名的社会主义思想家中,是马克思在1844年"首次指出,除却作为一个总是遭受苦难的阶级之外,无产阶级还是反对资产阶级秩序的能动力量;这一阶级的存在的每一个条件都被转换成资产阶级社会内部唯一的革命元素",而

---

① 刘秀萍:《马克思主义哲学在何种意义上是一种唯物主义——重新理解〈神圣家族〉对唯物主义史的梳理》,载《马克思主义与现实》2017年第4期。

"这一思想虽然是马克思在1844年年初就已提出,但其却是通过马克思与恩格斯合作的名为《神圣家族》的著作而得到了进一步的完善"。马克思在《神圣家族》这本书中"已经预告了他新哲学的路标。无产阶级是它所生活的社会中的一个独特的阶级。无产阶级是资产阶级的反对派,工人被资本家剥削。但还有另外一个问题。资本家从哪里来?造成资本剥削雇佣劳动的原因是什么?"于是马克思发现"有必要对这个社会的基本规律及其演变和存在进行科学的考察"。所以在《神圣家族》中,"马克思已经强调了理解工业条件、生产、物质生活条件、在满足物质需求的过程中人们所建立的关系的重要性,以求彻底理解特定历史时期内的真正发挥作用的力量"[1]。黄楠森认为,《神圣家族》在揭示无产阶级在资本主义社会的地位和作用的时候运用了辩证的方法,从无产阶级与资产阶级彼此对立而又相互制约的运动中论述资本主义制度灭亡的客观必然性。这部著作仍然是马克思、恩格斯在向唯物史观接近过程中的又一次重要探索,"是异化劳动向唯物史观

---

[1] David Riazanov, "Karl Marx and Friedrich Engels: An introduction to Their lines and Work", *International Publishers*,1937, P42-59.

的过渡"。鲍威尔等人在评述蒲鲁东"平等占有"的观点时进行了曲解,而马克思在批驳鲍威尔等人的过程中"进一步从人对物质生产资料的依赖关系中得出人们在物质生产过程中必然发生的相互关系",他们认识到劳动产品是人生存所必需,人们用生产活动和生产出来的劳动产品互相满足需要的关系就是人们之间的社会关系。黄楠森强调了马克思、恩格斯把"实物"看作社会关系的基础,认为这是形成"生产关系"概念的重大步骤,有着十分重要的意义。① 陈先达指出,"在《神圣家族》中,我们仍不难发现费尔巴哈的影响,但和《手稿》相比,关于人的本质异化和复归的思想已经不占有中心地位。《神圣家族》进一步推进了《手稿》中所蕴含的历史唯物主义因素,对什么是历史、历史的发源地、人民群众的伟大作用、物质利益问题都做了论述,特别是通过对蒲鲁东经济思想的剖析,接近形成生产关系的思想"②。赵家祥提出,《手稿》和《神圣家

---

① 黄楠森主编:《马克思主义哲学史》第 1 卷,北京出版社 1991 年版,第 385 页。
② 陈先达:《走向历史的深处》,中国人民大学出版社 2006 年版,第 214 页。

族》可以看作姊妹篇，后者是前者思想的继续和深化。《神圣家族》延续了《手稿》中分别论述异化劳动下的生产关系的本质和作为"自由的有意识的活动"的劳动下的生产关系的本质的逻辑和方法，并把这种逻辑和方法提到了更高的水平。[1]而赵常林则指出《神圣家族》写于马克思、恩格斯创立唯物史观、实现哲学领域中的革命变革的前夕，提出了很多重要思想，在马克思主义哲学形成中具有重要的历史地位，并从三个方面进行了分析：系统地批判思维决定存在的唯心主义，论述存在决定思维的唯物主义；科学地说明物质利益以及基于物质利益的阶级斗争，承认它们在历史发展中的巨大作用是唯物史观的一个根本特征；马克思从唯心主义向唯物主义转变的过程，也就是从抽象的人向现实的人的转变过程。但他同时指出，在《神圣家族》中，马克思、恩格斯还没有达到对历史的唯物主义理解，没有形成唯物史观。[2]孙伯鍨认为，在《神圣家族》

---

[1] 赵家祥：《〈1844年经济学哲学手稿〉和〈神圣家族〉中的生产关系思想》，载《教学与研究》2011年第7期。
[2] 赵常林：《〈神圣家族〉在马克思主义哲学形成中的历史地位》，载《晋阳学刊》1984年第8期。

一书中，马克思和恩格斯对鲍威尔等人的批判仍然是以费尔巴哈为出发点的。但由于费尔巴哈的原则获得了更加广泛的运用和初步的改造，因而使理论本身的性质也发生了重大变化：第一，费尔巴哈的对抽象的人的崇拜已经开始被关于现实的人的历史考察所代替；第二，在《1844年经济学哲学手稿》中用来解释历史的异化史观逐渐被实践的观点所代替。因此，它的思想已经远远超过了费尔巴哈的人道主义世界观的范围，对历史唯物主义的创立奠定了基础。[1] 学者郝永平认为《神圣家族》代表着马克思从异化劳动理论向唯物史观的过渡，并且，他认为《神圣家族》一书中已经提出了许多唯物史观的重要思想，离唯物史观的最后科学表述仅一步之遥，他认为《神圣家族》从四个方面阐述唯物史观的思想：第一，社会发展的动力不是自我意识，而是物质资料的生产方式；第二，马克思进一步用唯物主义观点来阐明市民社会和国家的关系，为创立有关经济基础与上层建筑关系的唯物主义学说奠定了基础；第三，马克思注重并转向"现实的人"；第四，

---

[1] 孙伯鍨：《探索者道路的探索——青年马克思恩格斯哲学思想研究》，南京大学出版社2002年版，第220—232页。

马克思分析物质利益和阶级斗争的关系，论证人民群众的伟大作用。[1]杨耕认为，《神圣家族》一方面在理论和方法上摒弃了《手稿》的一些观点，另一方面又沉淀了《手稿》已经取得的成就，根本上说，是沿着《手稿》开辟的从人的实践活动中寻找历史的发源地，通过揭示物质生产的历史作用发现了社会关系的客观规定性，《神圣家族》明确地把"生产方式"作为理解现实历史的基础，并从"实物"中发现了"人的存在"和"人对人的社会关系"，踏上了全面创立唯物史观的进程。[2]

6.马克思与启蒙思想的关系

近年来，学界开始关注从政治哲学视角解读马克思的思想发展历程，尤其是重视挖掘启蒙思想和法国大革命的历史观对马克思思想的影响。

法国学者傅勒指出，马克思在写作《论犹太人问题》和《神圣家族》期间留居巴黎，"对法国革命史极端感兴趣"，马克思在自己的著作中首次

---

[1] 郝永平:《从异化劳动向唯物史观的过渡——读〈神圣家族〉》，载《内蒙古大学学报》(哲学社会科学版)1987年第2期。
[2] 杨耕:《危机中的重建：唯物主义历史观的现代阐释》，南京大学出版社2011年版，第44—45页。

提出了这样的观点:"法国革命产生了超出它自身成就的思想,也就是说,法国革命是共产主义亦即'一种新世界秩序'思想的来源。"而这种观点是受到法国大革命时期的"社会小组"、巴黎人民运动的左翼的影响而形成的,不过马克思没有止步于此,而是"利用它将拥有超越现实处境及其表现的思辨思想的德国特权扩展到'实践的'和'政治的'革命法国"。[①] 臧峰宇认为,在《神圣家族》中,为了阐明法国唯物主义与19世纪英法共产主义的关系,马克思引证爱尔维修、霍尔巴赫和边沁的三段论述表明,道德必须与政治或立法结合起来才有实际意义,而个人利益应符合全人类的利益。由于充分论证了如何以唯物主义建构自由平等的理性王国,法国唯物主义发展史并非体现为鲍威尔所理解的那种"简单的命运"。马克思由此纠正了鲍威尔把法国唯物主义视作斯宾诺莎学派的误解。《神圣家族》表现了马克思在走出"神圣"的自我意识的同时,强调在现实的行动中书写"使用实践力量的"群众的历史,从而在新启蒙语境中确立了《神

[①] [法]傅勒:《马克思与法国大革命》,朱学平译,华东师范大学出版社2016年版,第24—25页。

圣家族》影响深远的政治哲学主题。让符合新时代的物质生产实践和群众利益的思想启蒙群众做出符合实际的政治选择。[①] 他还分析了启蒙语境中的"巴黎的秘密",思辨神学将现实存在及其关系神秘化,所以被塞利加看作贫富对立的"秘密的本质"的东西即富人对贫穷一无所知的情况在现实中并不存在。但是启蒙国民经济学家关于肉体贫穷和精神贫穷的详细分析仍然表明了远离日常生活走向神秘的途径,塞利加之所以赞赏"巴黎的秘密",是因为这个秘密完全符合自我意识哲学的思辨精神,要以具有本质性或者实体性的秘密来表达日常生活中的具体样态。马克思通过对《巴黎的秘密》主人公鲁道夫的人格分析,破解了鲁道夫所体现的批判的秘密,他是建立在人类软弱无力的意识之上的"神学道德的代表",在观念上将一切富有与贫穷的对立视为善与恶的对立,这种以自我意识阐释历史的神秘逻辑并不能在纯粹批判中与现实和解。马克思完成了对自我意识哲学的实践批判,强调了群众的实际利益诉求和群众的事业的价值,由此马克思开

[①] 臧峰宇:《法国启蒙思想批判与〈神圣家族〉的政治哲学主题》,载《哲学研究》2016年第7期。

启了具有世界历史意义的新启蒙视域，呈现了立足实践的政治哲学旨趣。[1] 黄学胜细致分析了青年马克思与启蒙思想的关系，认为结合近代启蒙的思想语境和时代背景来理解青年马克思的思想形成及其发展是一条具有重大研究价值的思路。只有置于启蒙的时代语境中，才能理解马克思哲学与其他哲学的本质不同。他认为马克思执着于中学论文提出的"人类的幸福和我们自身的完美"理想，力图转换启蒙时代的人道理想并使其获得真正实现。不同于启蒙时代空洞的、抽象的人道主义，马克思把人道主义奠基于社会历史和实践之上，追求实践的人道主义。在这一意义上，马克思突破了近代启蒙思想传统的藩篱，创立了唯物史观。黄学胜指出，写作《神圣家族》时期，马克思已经处于唯物史观的全面制定阶段，依循之前提出的超越"当代现实"的新的原则立场，对现代性社会展开整体性批判（包括对理性形而上学、启蒙国民经济学和空想社会主义的批判），制定了作为现代性社会必然结果的"实践的人道主义"的共产主义社会理想。《神

---

[1] 臧峰宇：《启蒙语境中的"巴黎的秘密"——青年马克思对塞利加神话的解构》，载《学习与探索》2016年第12期。

圣家族》中"生产方式""社会关系"等观点的提出至少意味着《神圣家族》已经是"关于未来唯物主义历史的完整观点的关键性突破了"。因此，在《德意志意识形态》中对唯物史观的系统阐述应当结合马克思对启蒙思想传统以及其后续形式的批判和超越加以理解。在这一意义上，青年马克思的探索不仅沟通了青年马克思与成熟马克思之间的"断裂"，也开放了1845年之后的马克思的理论研究空间。[①]赵敦华也认同反映启蒙时代精神的理论成果（即英国的国民经济学、法国社会主义思想和德国古典哲学）对马克思的巨大影响，认为马克思、恩格斯正是通过批判哲学汲取了启蒙成果的精华，从而达到了哲学、政治经济学和科学社会主义三个组成部分的统一。从这一角度出发，马克思、恩格斯不同时期的思想就具有内在的历史连续性，而且有着政治批判、意识形态批判和政治经济学批判的逻辑秩序。[②]邹诗鹏进一步认为，唯物史观是对欧洲

---

① 黄学胜：《青年马克思与启蒙》，复旦大学出版社2013年版，第215—225页。
② 赵敦华：《马克思的批判哲学和启蒙时代精神的精华》，载《北京大学学报》（哲学社会科学版），2014年第4期。

启蒙传统的转化和超越的结果,青年马克思心仪的是法国启蒙思想,他对康德与费希特的兴趣,实则指向卢梭,而《神圣家族》更是直接流露出对洛克及其英国唯物主义的向往。实际上,马克思对黑格尔、费尔巴哈以及近代思想家的批判,都从属于从启蒙到唯物史观的转变。邹诗鹏指明,唯物史观存在着英法启蒙及其自由主义的现实背景,但它却是从德国古典哲学的理论土壤中生长出来的,这里蕴含着马克思与德国古典哲学以及与费尔巴哈之间的复杂关系。马克思是通过寻找和定位历史主体以及发现、批判和重构现代性社会的工作,构成了从启蒙向唯物史观的转变。[①]

7. 群众史观问题

群众史观是马克思主义理论的重要组成部分之一,是与唯物史观的形成紧密结合的。有不少学者认为,"在《神圣家族》中,马克思主义的群众观已经形成,并第一次得到公开阐释"[②]。《神圣家族》阐

[①] 邹诗鹏:《青年马克思超越启蒙传统的理路》,载《社会科学》2016年第11期。
[②] 姜海波:《马克思恩格斯〈神圣家族〉研究读本》,中央编译出版社2017年版,第171—172页。

明了人民群众在历史上的伟大作用,这一观点是在对鲍威尔等人的英雄史观的批判的基础上阐明的。比如在鲍威尔等人看来,"工人什么东西也没创造,所以他们也就一无所有"。而马克思则针锋相对地指出,"历史活动是群众的活动,随着历史活动的深入,必将是群众队伍的扩大"[①]。郝贵生详细梳理了《神圣家族》中提及的"工人才创造一切""历史活动是群众的事业""无产阶级能够而且必须自己解放自己"等重要的群众史观思想,认为这些思想是伴随着唯物史观的诞生而创立的,马克思、恩格斯之所以能在《神圣家族》中提出这样的观点,是因为他们是从哲学基本问题入手,指出物质决定精神,与鲍威尔等人截然相反,继而从物质生产的人的活动出发,但是"马克思恩格斯这里所说的人已经不是费尔巴哈那种直观的、感性的纯自然的人,而是活生生的、现实的、具体的人"。当然,根本的原因是他们深入无产阶级的斗争实践中去了,"没有马克思恩格斯的工人阶级斗争实践的经历和所掌握的大量感性材料,就不可能有《神圣家族》中群众史观

---

① 《马克思恩格斯文集》第1卷,人民出版社2009年版,第287页。

思想的深刻阐述"。① 郑冬芳指出,鲍威尔等人从黑格尔的思辨哲学出发,在历史领域制造群众与英雄、物质与意识的对立。他们将群众视为实体、物质,是消极的,对历史没有推动作用,甚至还会阻碍历史的发展;自我意识却是主动的,整个历史就是自我意识的主动精神的体现,而英雄人物就是"主动的精神"的代表。"在鲍威尔刻意制造精神与物质,群众与历史根本对立的情况下,人类历史就成了英雄反对群众,精神反对物质的历史。"② 进一步的,张文喜通过分析黑格尔哲学的"政治神学"性质解释了青年黑格尔派等人英雄史观的思想基础,在德国哲学中,存在着这样的对立:"一方面,基督教日耳曼教条同样需要对人的创造性行为的肯定,而另一方面,这种创造性行为恰恰正是它想要加以否定的。"这种内在的固有性的难题在如何看待群众的问题上就凸显出来了。因此,"黑格尔之为'哲学界'居功至伟的本质是一种颠倒的世界形成,一种

---

① 郝贵生:《马克思恩格斯〈神圣家族〉中的群众史观》,载《中共天津市委党校学报》2006年第3期。
② 郑冬芳:《论〈神圣家族〉中的唯物史观萌芽》,载《西安交通大学学报》(社会科学版)2008年第6期。

居于上对下的倒错，一种智者对愚民的塑造关系，一种居于最高的、最终的、包揽一切的思想的崇高位置"。而马克思澄明了政治的形而上学前提，批判了黑格尔主义以虚假的自由方式先验地造出了抽象的精英与群众的对立，因为黑格尔主义相信诸如自由等观念是永恒地激励自我实现并塑造着历史，而马克思把关注现实物质利益的政治运动看作富有精神的政治运动，直接要求铲除产生哲学偏见和现存国家的现实基础，最关键的问题就变成了政治实践在何种程度上显现群众的现实利益。在当今"如何把握绝对观念对同时代人的实践的政治要求的高度，如何为之保持一种将来之来临或一种许诺与兑现的辩证运动，这是马克思哲学的思考以及它的真正贡献所在"。[1] 寇东亮认为，当马克思通过对青年黑格尔派批判哲学的批判来阐述人的阶级属性和"群众"的主体作用时，就构成了这一时期马克思人学思想变革的逻辑终点。在解决人的解放的主体力量是什么的问题时，鲍威尔等人将之归结于"精神"，他们把"存在于人身外的东西转变成主观的、观念内部

---

[1] 张文喜：《群众史观对于〈神圣家族〉的一种政治的哲学解码》，载《武汉大学学报》（哲学社会科学版）2018年第4期。

的东西，从而把一切现实的斗争转变成纯粹的思想斗争"，于是人类历史就与现实的人脱离。由此，他们也看不到"人的实践力量"的意义，"不可能会想到有这样一个现实的感性世界"。而对于马克思来说，人的解放"是一个现实的行动实践过程"，无产阶级只能在现实的贫困中而不是在"纯粹的思维"中感受和改变自己的处境。"关注无产阶级的现实境遇及彻底解放，便成为青年马克思人学思想变革的逻辑终点，也成为马克思建构其新世界观的实践起点。"[1]卜祥记则十分重视马克思"感性活动"原则的确立，认为《神圣家族》中"对鲍威尔的'非批判的群众'观点的批判，也决非仅仅具有单纯的政治意义和政治价值，绝非单纯意识形态意义上的政治理想，而是继《手稿》中以'感性活动'原则为根基的'哲学境域中的共产主义'之后，通过作为'感性活动'之具体化的'无产阶级意识''共产主义实践'所展现出的对人类历史命运的普遍性关注"[2]。

---

[1] 寇东亮：《青年马克思人学思想变革的逻辑脉络——从〈黑格尔法哲学批判〉到〈神圣家族〉》，载《学习与实践》2013年第7期。
[2] 卜祥记：《对〈神圣家族〉理论重要性的当代性解读》，载《上海行政学院学报》2007年第2期。

参考文献

1. 《马克思恩格斯全集》第2卷，人民出版社1957年版。
2. 《马克思恩格斯全集》第31卷，人民出版社1972年版。
3. 《马克思恩格斯全集》第47卷，人民出版社2004年版。
4. 《马克思恩格斯文集》第1卷，人民出版社2009年版。
5. 《马克思恩格斯文集》第4卷，人民出版社2009年版。
6. 马克思、恩格斯：《神圣家族》，人民出版社1962年版。
7. [德]弗·梅林：《马克思传》，樊集译，人民出版社1965年版。
8. [法]奥古斯特·科尔纽：《马克思恩格斯传》第1卷，刘丕坤等译，生活·读书·新知三联书店1980年版。
9. [苏]尼·拉宾：《马克思的青年时代》，南京大学外文系俄罗斯语言文学教研室翻译组译，生活·读书·新知三联书店1982年版。
10. [法]路易·阿尔都塞：《保卫马克思》，顾良译，商务印书馆2009年版。
11. [英]戴维·麦克莱伦：《青年黑格尔派与马克思》，夏威仪等译，商务印书馆1982年版。
12. [日]城塚登：《青年马克思的思想——社会主义思想的创立》，尚晶晶等译，求实出版社1988年版。

13. [日]广松涉:《唯物史观的原像》,邓习议译,南京大学出版社 2009 年版。

14. [日]山之内靖:《受苦者的目光:早期马克思的复兴》,彭曦等译,北京师范大学出版社 2011 年版。

15. [法]傅勒:《马克思与法国大革命》,朱学平译,华东师范大学出版社 2016 年版。

16.《马克思早期思想研究》,秦水译,生活·读书·新知三联书店 1963 年版。

17. 黄楠森等主编:《马克思主义哲学史》第 1 卷,北京出版社 1991 年版。

18. 杨金海主编:《马克思主义研究资料》第 12 卷,中央编译出版社 2015 年版。

19. 赵常林:《马克思早期哲学思想研究》,北京大学出版社 1987 年版。

20. 罗燕明:《马克思恩格斯思想研究(1833—1844)》,中央编译出版社 2002 年版。

21. 陈先达、靳辉明:《马克思早期思想研究》,中国人民大学出版社 2016 版。

22. 侯才:《青年黑格尔派与马克思早期思想的发展》,中国社会科学出版社 1994 年版。

23. 孙伯鍨:《探索者道路的探索》,南京大学出版社 2002 版。

24. 张一兵主编:《马克思哲学的历史原像》,人民出版社 2009

年版。

25. 张一兵：《马克思历史辩证法的主体向度》，武汉大学出版社 2009 年版。

26. 吴晓明：《形而上学的没落：马克思与费尔巴哈关系的当代解读》，北京师范大学出版社 2017 年版。

27. 邹诗鹏：《从启蒙到唯物史观》，上海人民出版社 2016 年版。

28. 黄学胜：《青年马克思与启蒙》，复旦大学出版社 2013 年版。

29. 林锋：《重估马克思早期六部著作的价值与地位》，北京大学出版社 2016 年版。

30. 姜海波：《马克思恩格斯〈神圣家族〉研究读本》，中央编译出版社 2017 年版。

31. 张敏：《超越人本主义：马克思与费尔巴哈关系新论》，人民出版社 2011 年版。

32. Marx Karl, David McLellan, ed. "Karl Marx: selected writings", *Oxford University Press*, 2000.

33. David Riazanov, "Karl Marx and Friedrich Engels: An introduction to their lines and Work", *International Publishers*, 1937.

34. T B. Bottomore, Maximilien Rubel, "Kar Marx Selected Writings in Sociology and Social Philosophy", *C.A. Watts*

and Co. Ltd, 1961.

35. Robert C. Tucker, "The Marx-Engels Reader", *W. W. Norton Co*, 1978.

36. Breckman, W. Marx, "The Young Hegelians, and the Origins of Radical Social Theory: Dethroning the Self (Modern European Philosophy)", *Cambridge University Press*, 1998.

37. 高放：《马克思主义人的解放科学第一次应运诞生》，载《中国延安干部学院学报》2013年第5期。

38. 王金福：《马克思与费尔巴哈关系中的两个事实》，载《哲学研究》1998年第11期。

39. 王东、林锋：《马克思哲学存在一个"费尔巴哈阶段"吗——"两次转变论"质疑》，载《学术月刊》2007年第4期。

40. ［苏］V.阿多拉茨基：《神圣家族以及马克思1843年至1845年初的写作——MEGA1第一部分第三卷导言》，李乾坤译，载《山东社会科学》2019年第4期。

41. 聂锦芳：《一段思想因缘的结构——〈神圣家族〉的文本学解读》，载《学术研究》2007年第2期。

42. 卜祥记：《对〈神圣家族〉理论重要性的当代性解读》，载《上海行政学院学报》2007年第2期。

43. 赵常林：《〈神圣家族〉在马克思主义哲学形成中的历史地位》，载《晋阳学刊》1984年第8期。

44. 郝永平：《从异化劳动向唯物史观的过渡——读〈神圣家

族〉》，载《内蒙古大学学报》(哲学社会科学版) 1987年第2期。

45. 郝贵生：《马克思恩格斯〈神圣家族〉中的群众史观》，载《中共天津市委党校学报》2006年第3期。

46. 俞吾金：《马克思究竟从何时何处开始批判"抽象的人"的学说——从恩格斯记忆上的一个纰漏说起》，载《教学与研究》2003年第5期。

47. 赵家祥：《〈1844年经济学哲学手稿〉和〈神圣家族〉中的生产关系思想》，载《教学与研究》2011年第7期。

48. 刘秀萍：《财产关系为什么会成为理解现代社会的"斯芬克斯之谜"？——重温〈神圣家族〉对〈蒲鲁东〉的分析和评判》，载《天津社会科学》2015年第6期。

49. 刘秀萍：《马克思主义哲学在何种意义上是一种唯物主义——重新理解〈神圣家族〉对唯物主义史的梳理》，载《马克思主义与现实》2017年第4期。

50. 刘秀萍：《思辨哲学与"巴黎的秘密"——〈神圣家族〉解读》，载《山东社会科学》2018年第4期。

51. 唐正东：《青年马克思的"现实人道主义"概念为什么很重要？》，载《南京政治学院学报》2012年第1期。

52. 张一兵：《自然唯物主义、人本学唯物主义与社会唯物主义——〈神圣家族〉的哲学解读》，载《长白学刊》1998年第4期。

53. 杨耕：《重新审视唯物主义的历史形态和历史唯物主义的理论空间——重读〈神圣家族〉》，载《学术研究》2001年第1期。

54. 张智、刘建军：《〈神圣家族〉对思想政治教育理论的启示》，载《中国人民大学学报》2016年第5期。

55. 张义修：《对MEGA2版〈德意志意识形态〉编辑方案的三个追问》，载《马克思主义哲学论丛》2017年第1辑。

56. 周嘉昕：《唯物主义概念的思想史考察》，载《南京大学学报》（哲学社会科学版）2016年第1期。

57. 周嘉昕：《从"〈神圣家族〉的准备材料"到〈1844年经济学哲学手稿〉——兼论梁赞诺夫对辩证唯物主义的理论贡献》，载《马克思主义与现实》2019年第1期。

58. 李淑梅、陶红茹：《经验和超验：两种哲学进路社会政治旨趣的差异——对〈神圣家族〉的解读》，载《山东社会科学》2013年第2期。

59. 臧峰宇：《法国启蒙思想批判与〈神圣家族〉的政治哲学主题》，载《哲学研究》2016年第7期。

60. 臧峰宇：《启蒙语境中的"巴黎的秘密"——青年马克思对塞利加神话的解构》，载《学习与探索》2016年第12期。

61. 张文喜：《群众史观对于神圣家族的一种政治的哲学解码》，载《武汉大学学报》（哲学社会科学版）2018年第4期。

62. 黄学胜：《〈神圣家族〉：马克思对"思辨唯心主义"的批

判〉,载《天府新论》2010年第2期。

63. 寇东亮:《青年马克思人学思想变革的逻辑脉络——从〈黑格尔法哲学批判〉到〈神圣家族〉》,载《学习与实践》2013年第7期。

64. 刘化军:《〈神圣家族〉中的科学社会主义思想》,载《学术探索》2013年第6期。

65. 李彬彬:《社会平等及其实现的路径——重读〈神圣家族〉对埃德加尔和蒲鲁东的批判》,载《社会科学辑刊》2016年第2期。

66. 蔡玲:《现实人道主义的三重维度:〈神圣家族〉思想解读》,载《江汉论坛》2018年第4期。

67. 李亚熙:《苏联早期学者对〈1844年经济学哲学手稿〉的不同解读》,载《山东社会科学》2019年第4期。

68. 翁寒冰:《马克思对黑格尔的五次批判》,南京大学博士学位论文,2013年。

69. 卜祥记:《青年黑格尔派与马克思的哲学革命》,复旦大学博士学位论文,2004年。

70. 田毅松:《〈神圣家族〉研究》,北京大学硕士学位论文,2004年。

71. 段钧元:《论〈神圣家族〉的人道主义思想》,山东大学硕士学位论文,2017年。

72. Rae, John, "The Socialism of Karl Marx and the Young Hegelians", *The Contemporary Review*, Vol. XL, 1881.